# CORONA DE SOMBRA

Pieza Antihistórica en Tres Actos

From Bernard Shaw.

I have really nothing to say. If you ever need an Irish certificate of vocation as a dramatic poet I will sign it.

When I was half way through the play, the end came into my head readymade exactly as it came into yours. Only, Maximilian was visible with the shooting party; and the volley was heard after the slow fall of the curtain.

If the performance takes too long the scene with the alienist could be omitted, as Carlotta's mental state is sufficiently established without it. But it is worth doing for its own sake if there is time for it.

The play is pure tragedy from beginning to end, but never turgid and tiresome. English tragedy is always adulterated with comedy like the black and white sweets that children call bulls' eyes; but this Mexican tragedy is homogeneous through and through, noble through all its variety and novelty.

Mexico can starve you; but it cannot deny your genius.

G. Bernard Shaw

4, WHITEHALL COURT (130) LONDON S W
TELEGRAMS SOCIALIST, PARL-LONDON
TELEPHONE WHITEHALL 3160.

AYOT ST LAWRENCE, WELWYN HERTS
STATION WHEATHAMPSTEAD L & N E R, 2¼ MILES
TELEGRAMS AND PHONE CODICOTE 218

20/4/1945

Rodolfo Usigli

# CORONA DE SOMBRA

Pieza Antihistórica en Tres Actos

*Edited by*

*REX EDWARD BALLINGER*

*SOUTHWEST MISSOURI STATE COLLEGE*

NEW YORK

APPLETON-CENTURY-CROFTS, INC.

6111–2

Library of Congress Card Number 61–5288

PRINTED IN THE UNITED STATES OF AMERICA

# Preface

This textbook edition of *Corona de Sombra* by Rodolfo Usigli (1905– ) brings to English-speaking students of Spanish language and literature a play by Mexico's outstanding contemporary playwright. The late George Bernard Shaw, after reading the manuscript of the English version in 1945, wrote Usigli with typical Shavian humor, "If you ever need an Irish certificate of vocation as a dramatic poet I will sign it," and he ended his note with the terse comment, "Mexico can starve you; but it cannot deny your genius."

The vocabulary of the play is simple; although somewhat idiomatic at times, it is within the range of the student in his third semester of Spanish. For maximum use of the text, this edition contains an introduction, a foreword by the author, notes, exercises, and a vocabulary.

The Introduction offers a brief explanation of the period of French intervention in Mexico, and gives the student sufficient historical background for understanding one of the most interesting and significant events in Mexican history.

The Foreword, written by the author twelve years after the first appearance of the play, is a brief discussion of the subtitle *pieza antihistórica,* which has provoked considerable comment among the readers of the play in recent years. It was written in Beirut, where Mr. Usigli has been serving as Mexico's ambassador to Lebanon.

The student's vocabulary is increased by exercises involving word families, cognates, and idioms. To facilitate their handling, the text has been divided into sections, numbered from I to XXII. In order to complete the play in eleven class sessions, teachers who operate on the semester plan may cover two lesson assignments instead of one. If these exercises make foreign language patterns unconscious habits, encourage linguistic and literary analysis, and facilitate oral and written speech, then they will have accomplished their purpose. The *proyectos escritos u orales,* which it is hoped will correlate cultural and historical information to stimulate initiative and originality in self-expression, are self-explanatory.

The Notes present in a concise manner all allusions to persons, places, and events. They offer historical, cultural, and geographical material to supplement the content of the play and afford a framework of reference in understanding this controversial period.

The Vocabulary includes the words of the introduction, the foreword, the text, notes, and exercises, and is intended to be complete except for the usual omissions indicated in the explanation at the head of the section.

I should like to express my deep gratitude to Mrs. Georgette Dupuy Caskie of Washington, D.C., for her helpful suggestions, and especially to the author, Rodolfo Usigli, for granting permission to make this edition available to students of American colleges and universities.

R. E. B.

# Contents

# Introduction

For over half a century the greatest issue in the history of Mexico was the struggle between Church and State. It was Benito Juárez who dominated the scene in defending the liberal institutions of his country from 1855 to 1872. From the moment that he was appointed Minister of Justice in October, 1855, he became the leader of the Reform movement against the power of the Catholic Church. As a result of the Reform Constitution promulgated in 1857, Church and State were separated for the first time in Mexican history. Almost immediately the three-year Civil War, known as the War of the Reform, broke out between the Conservatives, supported by the landed aristocracy, and the Liberals, who were intent upon reducing the power of the Church. The bitter struggle was further inflamed by Juárez when he enacted the *Leyes de Reforma* (1859–1861) in his determination to achieve the economic and social policies of the Liberal Party. These laws provided for freedom of worship, the secularization of cemeteries, the suppression of monasteries, the establishment of civil marriage, and the confiscation of all church property. The underlying motive of all these reprisals was to make the Church subservient to the State.

The expenses of the Civil War had exhausted the Treasury, and on July 17, 1861, in an attempt to re-establish the Mexican economy, Juárez declared a moratorium on all foreign debts held by French, British, and Spanish interests. Napoleon III immediately seized upon the decree as a pretext for intervention to bring Mexico under French domination. Through his influence and that of some Mexican Conservatives residing in Europe, on October 31, 1861, an alliance was signed in London by which the three injured countries agreed to support an invading army in order to force the Mexican government to meet its obligations.

The intervening powers agreed that no special advantages should be sought by them individually and that Mexican territorial integrity should not be violated. The fact cannot be disputed, however, that each of the three countries had an imperialistic aim. Queen Victoria was expanding her colonial empire throughout the world; Queen Isabel II of Spain was hoping to reconquer Mexico to add to her dwindling American empire, by then reduced only to Cuba and Puerto Rico; and Napoleon III also was dreaming of colonial expansion and was prodded to this Mexican venture by his ambitious wife, the Empress Eugénie.

When Benito Juárez sent a delegation to Vera Cruz to discuss Mexico's rights with the foreign troops that had arrived between December, 1861, and January, 1862, the Spanish and English representatives, Juan Prim and Sir Charles Wyke, decided to withdraw their troops. Napoleon III, however, was unwilling to reach an agreement with Juárez and soon revealed his true intentions by invading the country. On May 5, 1862, General Lorencez and his 5,000 French troops were overwhelmingly defeated in the heroic battle of Puebla, which halted their march on the capital. With this unexpected reverse, Napoleon's prestige in Europe was jeopardized, but within a year he sent 25,000 more troops to Vera Cruz, under the command of General Forey and General Bazaine. In June, 1863, the French army succeeded in overpowering Juárez and his veterans of years of civil warfare and marched triumphantly into Mexico City.

The time was now ripe to throw off the mask. A provisional government of thirty-five "Notables" which was established by the French announced on July 10 that Mexico should not have a republic but a constitutional monarchy, with a Catholic prince as its sovereign. Upon the suggestion of Napoleon, they appointed a commission to go to the Chateau of Miramar near Trieste on October 3, 1863, with the view of offering Ferdinand Maximilian, the Archduke of Austria, the throne of the new Empire.

The unfortunate Prince of the House of Hapsburg demanded financial and military support from France and a plebiscite, whereupon the French army proceeded to furnish him evidence that the Mexican population was in his favor. Maximilian was completely unaware of the fraudulent collection of votes and accepted the throne of Mexico believing that the majority of the people had "voted" him the crown. On April 9, 1864, he signed a family pact by which he renounced all rights as an Austrian prince, and on the following day he officially announced his acceptance. His vain and ambitious wife, Charlotte Amélie, daughter of Leopold I, King of Belgium, was delighted with his decision. Maximilian himself was eager to apply his ideas of government in the strange land of Mexico.

The hapless pawns then went to Rome to receive the blessing of Pope Pius IX, after which they embarked for their new dominion on the Austrian warship *La Novara*. On June 12 they made their triumphal entry into Mexico City amid deafening applause. The Archduke tried from the first to win the good will of the Liberals, and, although he gained their support, he incurred the hatred of the Conservatives when he failed to annul or modify the *Leyes de Reforma*. The former Aztec capital became the theatre of extravagant social functions at the imperial residence of Chapultepec, and to meet the expenses of the lavish court, it was necessary to contract loans in London and Paris. Impoverished Mexico was paying her new monarchs an allowance of $1,700,000 annually for the privilege of having the country mismanaged by foreign potentates.

In marked contrast to the affairs at the capital, a constant guerrilla warfare was waged in the interior, and the Mexicans suffered heavy losses at the hands of the imperial troops garrisoned in the rural districts. On October 2, 1865, Maximilian decreed that all persons in arms, as well as those who were convicted of belonging to any armed band against the Empire, should be sentenced to death. Full amnesty was provided, however, for those who should surrender or lay down their arms before November 15, this date later being extended to December 1. The Emperor sincerely believed that the decree would end the Civil War and would attract the outstanding leaders of the Liberal cause, but it succeeded only in alienating the party.

The enterprise continued to be so expensive for the French that now Napoleon thought only of withdrawing his troops from this land of bitter sacrifices and mistaken illusions. The Empress Carlotta detected the trend of events during the days of discouragement and proposed to her husband that she herself go to Paris and Rome to urge Napoleon to fulfill the promises he had made at Miramar and to ask the Pope to exert his influence toward the salvation of the imperial cause.

When Carlotta embarked at Vera Cruz on July 13, 1866, she unknowingly turned her back on her husband and Mexico for the last time. She arrived at the Palace of Saint-Cloud near Paris on August 11, where she and Napoleon both indulged in violent recriminations. The French intervention had been an attempt to test the strength of the Monroe Doctrine, and Napoleon had seized the most opportune moment to do so, just as the United States was totally absorbed in the struggle of the Civil War. Secretary of State Seward had sent a menacing note to Napoleon in which he threatened war unless France ended the occupation on American soil. To preserve his dignity and to placate the French people, who were dissatisfied with the cost of the Mexican expedition, Napoleon decided to withdraw all support of Maximilian.

Cruelly disillusioned and with her reason rapidly giving way under continued grief and tension, Carlotta started for Rome, hopeful of the Pope's intervention. On the morning of September 27, she made her official visit to the Vatican. Because the reprisals of the *Leyes de Reforma* had aroused great hostilities among the Catholic powers of Europe, the Pope had no greater desire than to restore to the Mexican Church her properties estimated at two hundred million dollars. However, if he rejected the concordat offered him by Carlotta, it was only because he mistrusted the liberal tendencies of Maximilian at a time when the traditional supremacy of the papacy was being challenged. Carlotta fell to her knees before the Pontiff and demanded asylum in the Vatican from the assassins whom she imagined Napoleon had sent to pursue her. The Pope, however, was unable to calm her nervous state and recognized almost immediately that she was suffering from great mental aberration.

When Maximilian received the cable revealing the condition of Carlotta's health, his sole desire was to abandon Mexico and go to his unfortunate wife, but he was prevailed upon by the Conservatives to remain. Meanwhile, the forces of Benito Juárez had captured town after town in the north. Napoleon had specified to Secretary Seward the early spring of 1867 as the final date for the withdrawal of the occupation forces. The French flag was lowered on the home of Marshal Bazaine in Buena Vista on February 5, signaling the end of French domination, and the imperial troops marched out of the city. Accompanied by his staff, Maximilian left Mexico City for Querétaro, where his generals with approximately 7,000 troops were defending the beleaguered city against General Escobedo and an army of 40,000 Liberals. After a valiant resistance of seventy-two days, the Emperor was betrayed by Colonel López on the night of May 14. Trial by court-martial followed his surrender, and it cannot be denied that the pseudo-legal machinery which was set in motion to give an appearance of legality to the proceedings was a complete travesty. Benito Juárez would be content with nothing less than Maximilian's life. Shortly after daylight on June 19, 1867, the unfortunate Ferdinand Maximilian of Hapsburg and his two loyal Mexican generals, Miramón and Mejía, were taken to the *Cerro de las Campanas* in the outskirts of Querétaro and were shot by a firing squad, while a division composed of 4,000 Liberals watched the scene.

# Advertencia

Cuando, al encontrar en mi cabeza el título para *Corona de Sombra,* añadí impulsivamente esta expresión que sentí latir en mí, pensé que se explicaba por sí misma. Sin embargo, como muchas veces en el curso de años sucesivos se me ha preguntado cuál es su sentido, he acabado por comprender que así como "el pez por la boca muere," el escritor muere por sus frases. O vive, según el caso.

El concepto involucrado en mi definición de esta pieza es aristotélico puro, y remito al lector al pasaje de *la Poética* en que el ilustre y viviente griego diferencia la tragedia de la historia. O sea que un tema histórico trasladado a la escena debe ser tratado sobre todo teatralmente, del primer lugar al último. O sea que el poeta no es el esclavo, sino el intérprete del acontecimiento histórico.

También operó en mi pensamiento una vieja protesta contra el ciego, obcecado historicismo de que sufren los escritores de los países tan radicalmente históricos como México. Sin embargo, la explicación total no está allí, y se trata de una cuestión mayormente polémica: de una discusión entre la historia y la interpretación de la historia en la perspectiva del tiempo. *Corona de Sombra* es parte de una trilogía—inconclusa hasta hoy, ay—y es una pieza antihistórica donde *Corona de Luz* (La Virgen de Guadalupe) y *Corona de Fuego* (Cuauhtémoc) serán una comedia y una tragedia antihistóricas. No se trata, pues, de alterar los hechos de la historia, sino de alumbrarlos con la luz de un sentimiento contemporáneo a nosotros; de interpretarlos en términos humanos, esto es, teatrales, de acuerdo con una sensibilidad no contagiada de partidismos políticos, raciales o ideológicos. De ver, en fin, mejor que el hecho histórico en sí mismo, los frutos que ha venido a dar en nuestro tiempo. Para mí, el episodio del Segundo Imperio mexicano con su corona de sangre y de sombra—de locura—y con los dramáticos destinos, paralelos a su manera, de Maximiliano y Carlota, sigue siendo uno de los tres elementos básicos de nuestra soberanía, histórica ahora sí. Cuauhtémoc representa el factor culminante, el mito—en el más místico y respetable sentido—de la soberanía material; la Virgen de Guadalupe que "no hizo otro tanto con todas las naciones," el mito—en el mismo sentido—de la soberanía espiritual; y Maximiliano, por su sangre vertida, y Carlota, por su tridimensional locura, los elementos determinantes de la soberanía política de México. No descuento, ni olvido, ni podría olvidar, la acción ejemplar, el enorme peso democrático de Benito Juárez; pero sostengo que sería una figura como incompleta, menos entera y menos importante sin la acción de las otras dos, malhadadas, figuras extranjeras. Dicho de otro modo, y a despecho de sus luchas locales contra conservadores, europeizantes, terratenientes y clero, sin este episodio de múltiples proyecciones internacionales Juárez sería monólogo, no diálogo. Sus luchas habrían tenido menor repercusión en el mundo y no sería, en suma—para mí al menos—el riquísimo almácigo dramático que felizmente es y que en mi pieza, como en la de Franz Werfel, está presente siempre, hasta en la suspensión de los entreactos.

Antihistórico, en suma, no significa para mí enmendar la historia, que se compone de hechos acaecidos, sino rectificar la interpretación historicista y limitada de los hechos y poner éstos al nivel del hombre, que es quien los crea y es a la vez piedra fundamental de la más humana de todas las formas del arte: la poesía dramática.

RODOLFO USIGLI

Beirut, 30 de julio, 1959

# CORONA DE SOMBRA

*A Josette*

*R.*

# Personajes

*(por orden de aparición)*

ETIENNE, el Portero
El profesor ERASMO RAMÍREZ, historiador mexicano
LA DAMA DE COMPAÑÍA
CARLOTA AMALIA (1840–1927), Emperatriz de México (1864–1867)
El DOCTOR
La DONCELLA
MAXIMILIANO (1832–1867), Emperador de México (1864–1867)
MIGUEL MIRAMÓN (1832–1867), general mexicano
JOSÉ MARÍA LACUNZA (?–1868), ministro del Emperador Maximiliano
FRANÇOIS ACHILLE BAZAINE (1811–1888), Mariscal de Francia
ANTONIO DE LABASTIDA (1816–1891), Arzobispo de México
El Padre AUGUSTUS FISCHER
TOMÁS MEJÍA (1815–1867), general mexicano
JOSÉ LUIS BLASIO, secretario del Emperador Maximiliano
Un LACAYO
El DUQUE
NAPOLEÓN III (1808–1873), Emperador de Francia (1852–1871)
EUGENIA DE MONTIJO (1826–1920), Emperatriz de Francia (1852–1871)
El PAPA PÍO IX (1792–1878)
Un MONSEÑOR
El CARDENAL
El ALIENISTA
La DAMA DE HONOR
El CHAMBELÁN
Un CENTINELA
El CAPITÁN
ALBERTO I (1875–1934), Rey de Bélgica (1909–1934)

# Escenarios

## ACTO I

*Escena primera.* Doble salón en el castillo de Bouchout en Bruselas, 19 de enero, 1927.

A LA IZQUIERDA — A LA DERECHA

*Escena segunda.* Alcoba de Carlota en el castillo de Miramar, 9 de abril, 1864.

*Escena tercera.* Alcoba de Maximiliano en el castillo de Chapultepec, 12 de junio, 1864.

## ACTO II

*Escena primera.* Salón de Consejo en el castillo de Chapultepec, 1865.

*Escena segunda.* Boudoir de Carlota en el castillo de Chapultepec, 7 de julio, 1866.

*Escena tercera.* Salón en el palacio de Saint-Cloud, agosto de 1866.

*Escena cuarta.* Despacho del Papa Pío IX en el Vaticano, 1866.

## ACTO III

*Escena primera.* Salón en el castillo de Miramar, 1866.

*Escena segunda.* Doble salón en el castillo de Bouchout en Bruselas, 1927.

*Escena tercera.* Celda de Maximiliano en el Convento de Capuchinas en Querétaro, 19 de junio, 1867.

*Escena cuarta.* Doble salón en el castillo de Bouchout en Bruselas, 1927.

# ACTO PRIMERO

# ESCENA PRIMERA

*Doble salón en el castillo de Bouchout en Bruselas, 19 de enero, 1927.*

## [I]

La escena representa un doble salón, comunicado y separado a la vez por una división de cristales. El fondo de la sección izquierda consiste en una puerta de cristales que lleva a una terraza, la que se supone comunica con un jardín por medio de una escalinata. En la pared divisoria de cristales hay una puerta al centro, que comunica los dos salones. Puerta a la derecha. Un balcón al fondo. Pocos muebles. En el lado derecho hay una consola con candelabros, de cristal cortado, un costurero, un sillón, una mecedora y cortinajes. En el salón de la izquierda hay, además, dos puertas en primero y segundo términos; una gran mesa de mármol y dos sillones.

Al levantarse el telón la escena aparece desierta. Es de mañana y la luz del sol penetra tumultuosamente por el balcón y la terraza. Por la puerta de primer término izquierdo entra un hombre. Es viejo y lleva un uniforme cuyo exceso de cordones dorados denuncia una posición enteramente subalterna. Mira en torno suyo, asoma por la terraza, y luego va a la pared de cristales para atisbar. Al satisfacerse de la absoluta ausencia de personas vuelve a la puerta de primer término izquierdo, adelanta el brazo, asoma la cabeza y habla.

El Portero: Puede usted pasar.

*Se aparta para dejar paso a un segundo hombre, que entra y mira en torno suyo a su vez, pero sin recelo o zozobra, con una moderada curiosidad. Es el profesor* Erasmo Ramírez, *historiador mexicano. De mediana estatura, que por un poco sería baja; de figura un tanto espesa y sólida,*

*Erasmo Ramírez tiene por rostro una máscara de indudable origen zapoteca. Su pelo es negro, brillante y lacio, dividido por una raya al lado izquierdo. Viste de negro, con tal sencillez que su traje parece fuera de época: el saco es redondo y escotado, el chaleco cruzado y sin puntas, el pantalón más bien estrecho. Lleva un sombrero negro de bola, un paraguas y un libro en la mano. Habla con lentitud pero con seguridad, sin muchos matices o inflexiones, y su voz es clara, pero sin brillo. Parece continuamente preocupado por algo que está dentro de su manga izquierda, cuyo puño mira con frecuencia mientras habla.*[1] *Su corbata de lazo, anticuada y mal hecha, completa una imagen un tanto impresionista y vaga que juraría uno haber visto hace mucho tiempo.*

ERASMO: ¿Qué es esto?
PORTERO: Es el salón.
ERASMO: Eso parece, en efecto. ¿Y allá? (*Señala la terraza*).
PORTERO: Una terraza.
5 ERASMO: También lo parece. ¿Pero allá, más lejos?
PORTERO: El jardín.

ERASMO *se acerca a la terraza y mira hacia afuera. El* PORTERO *da señales de nerviosidad. Tose para hablar.* ERASMO *se vuelve.*

ERASMO: También, visto desde aquí, parece un jardín. (*El* PORTERO *tose*). ¿Tiene usted tos?
PORTERO: Ya que lo ha visto usted todo, caballero, será mejor que
10 nos vayamos.
ERASMO: Desearía ver primero el otro salón.
PORTERO: Imposible.
ERASMO: ¿Por qué?
PORTERO: Porque comunica con las habitaciones privadas.
15 ERASMO (*Mira su reloj*): Tengo entendido que me dijo usted que a estas horas no hay nadie aquí. Tenemos tiempo. (*Se dirige a la puerta del centro*).
PORTERO: Podría venir alguien. No me atrevo. (*Tose*).
ERASMO: (*Sacando metódicamente una cartera y de ella un billete*):
20 Esto le curará la tos. Es una medicina infalible.
PORTERO (*Tomando el billete*): No debería yo ... no debería ...

ERASMO *empuja sencillamente la puerta de la pared divisoria y pasa al salón de la derecha. Mira en torno suyo. El* PORTERO *lo sigue después de mirar a todos lados.*

ERASMO: Esto parece un costurero.
PORTERO: Lo es.
ERASMO: ¿Esa puerta?
PORTERO: Da a la recámara; después hay un baño y la recámara de la dama de compañía, al fondo del pasillo. 5

ERASMO *deposita su sombrero, su paraguas y su libro en el sillón, saca una libreta de notas y un lápiz y hace anotaciones mientras va preguntando.*

ERASMO: ¿Usted la ve a menudo?
PORTERO: Muy poco, caballero. Claro que la he visto muchas veces, pero a distancia.
ERASMO: ¿Y habla con usted?
PORTERO: No. Nunca. Ayer nada menos ... 10
ERASMO: ¿Hay alguien con quien hable? ¿Podría yo hablar con esa persona?
PORTERO: No—no lo creo. Quizás hable con la dama de compañía, o con el doctor. No sé. Pero sé que habla siempre. Ayer precisamente ... 15
ERASMO: No habla nunca, pero habla siempre. No entiendo.
PORTERO: Es decir que ayer, por ejemplo ...
ERASMO (*Interrumpiéndolo otra vez*): ¿Por qué no acaba usted? ¿Quiere decir que ayer le dijo algo?
PORTERO: No, pero ... 20
ERASMO (*Distraído otra vez*): ¿Hace alguna labor de costura?
PORTERO: No, ella no, la dama de compañía. Pero ayer dijo algo. (ERASMO *alza la cabeza*). Y es curioso, porque dijo la misma frase que la oí decir cuando vine aquí por primera vez, hace treinta años. (ERASMO *espera*). Dijo: "¡Todo está tan oscuro!" 25
ERASMO: ¿Qué hora era?
PORTERO: Las diez de la mañana, caballero, y había más sol que hoy. Da dolor, usted comprende—es una enfermedad inventada por el diablo. Se lo dije a la dama de compañía: "¿Por qué le parece oscuro todo cuando hay tanto sol?" Y ella se 30

afligió mucho y me dijo: "Sí, ayer precisamente pidió luces toda la mañana. Hubo que encender la luz eléctrica, pero ella misma prendió las bujías ..."

ERASMO (*Señalando*): ¿Estas?

5 PORTERO (*Asiente*): "... y se las acercó a los ojos a tal grado que parecía que iba a quemárselos. Y siguió pidiendo luces toda la mañana."

ERASMO: Extraño. Tiene ochenta y siete años, ¿verdad?

PORTERO: No lo sé. Parece tener más de cien. ¿Se ha fijado usted,
10 caballero, que los viejos nos encogemos primeramente, pero que, si seguimos viviendo, volvemos a crecer? Le pasó a mi abuelo, que murió a los ciento siete años y era tieso como un huso. Le pasa a ella. No sé, pero da un gran dolor todo esto. (*Se sobresalta como si hubiera oído algo*). Por favor,
15 salgamos ya, caballero. Me hará usted sus preguntas afuera. Pueden venir ...

ERASMO (*Mirando en torno*): ¿Ningún retrato de su marido?

PORTERO: No, no, no—usted comprende. Desde aquella horrible desgracia no ...

20 ERASMO: ¿Sabe usted si habla de él a veces?

PORTERO: No lo sé. Yo he oído decir que nunca. Se lo ruego, caballero, vayámonos.

[II]

ERASMO: Me gustaría ver su alcoba.

PORTERO: Oh, no, no. Es imposible, caballero. Por favor. Me siento
25 como si estuviera cometiendo un crimen, una deslealtad.

ERASMO (*Interesado*): ¿Siente usted eso? ¿Por qué?

PORTERO: Si alguien se enterara de que lo he hecho entrar a usted aquí—¡a un mexicano! (*Desesperado*). No me perdonaré nunca. ¿Por qué ha venido usted aquí?

30 ERASMO: Ya se lo he dicho. Soy historiador, he querido ver este lugar histórico, esta tumba; pero no por pura curiosidad, sino porque era necesario para el libro que preparo.

PORTERO: No me perdonaré nunca.

ERASMO *saca filosóficamente otro billete de su cartera, pero el* PORTERO *lo rechaza con dignidad. Cobrando va-*

*lor, saca de su bolsa dos o tres billetes más, y los devuelve a* ERASMO, *que rehusa.*

PORTERO: Por favor, tómelos, para que pueda yo perdonarme. Y ojalá Dios y ella me perdonen también.

ERASMO *recoge su paraguas, su sombrero y su libro.*

PORTERO: ¿No hablará usted mal de ella, por lo menos, en ese libro? ¡Dígame! ¿No hablará mal de ella?

ERASMO: Yo soy historiador, amigo. La historia no habla mal de nadie, a menos que se trate de alguien malo. Esta mujer era una ambiciosa, causó la muerte de su esposo y acarreó muchas enormes desgracias. Era orgullosa y mala. 5

PORTERO (*Ofendido*): Tendrá usted que irse en seguida.

ERASMO (*Mirándose la manga*): Me gustaría hablar con ella, hacerle preguntas; pero está peor que muerta. (*Con súbita decisión*): Hablaré con ella. 10

PORTERO: Señor, me echarán de aquí. Soy un viejo—(*transición*) un viejo imbécil y desleal.

ERASMO: Ayudará usted a la historia, habrá hecho un servicio al mundo civilizado, mejor que su gobierno, que me negó el permiso. Le prometo que nadie se enterará de que usted me hizo entrar. Déjeme aquí. 15

PORTERO: Eso nunca, señor. Prefiero que me despidan, prefiero morirme. 20

ERASMO: ¿La quiere usted?

PORTERO: No es más que una anciana mayor que yo, pero la quiero como a nadie. Y usted me engañó. Primero me dijo que la admiraba mucho, y ahora la llama ambiciosa y mala.

ERASMO: La admiro. ¿Cómo no admirarla si todavía hay un hombre que quiere morir por ella cuando es ya nonagenaria? Tengo que hablarle, no tiene remedio. 25

PORTERO: Señor, por Dios vivo, váyase de aquí.

ERASMO *pasa tranquilamente al salón de la izquierda, deja su sombrero y su paraguas, se instala en un sillón y abre su libro.*

PORTERO (*Que lo ha seguido*): En ese caso llamaré a la guardia.

ERASMO: Y entonces pasará usted por un desleal, por un traidor. Le 30 echarán ignominiosamente a prisión. Váyase de aquí y déjeme.

PORTERO: No, señor. Correré todos los riesgos, pero usted saldrá de aquí.

*Se prepara para el ataque. En este momento se oye, detrás de la segunda puerta izquierda, un ruido de pasos.*

5 LA VOZ DE LA DAMA DE COMPAÑÍA: Si Vuestra Majestad quiere esperar aquí, yo lo traeré.

ERASMO *alza su rostro transfigurado por la expectación. El* PORTERO *junta las manos.* ERASMO *se levanta y los dos salen rápida y sigilosamente por la terraza. Casi en seguida, la* DAMA DE COMPAÑÍA, *mujer de aspecto distinguido y de unos cincuenta años, entra en el salón, busca en la mesa, luego pasa al salón de la derecha y sigue buscando algo, sin encontrarlo. Entre tanto entra en el salón izquierdo* CARLOTA AMALIA. *Es alta, delgada y derecha. Viste un traje de color pardo y lleva descubierta la magnífica cabellera blanca en un peinado muy alto. No habla. Va lentamente al sillón donde estuvo sentado* ERASMO, *apoyándose en un alto bastón con cordones de seda. Mira el sillón y recoge de él el libro olvidado por* ERASMO. *Sonríe, toma el libro y abre varias veces la boca sin emitir sonido alguno. Se sienta con el libro en la mano. La* DAMA DE COMPAÑÍA *regresa.*

DAMA DE COMPAÑÍA: Vuestra Majestad debe de haberlo dejado en el jardín. (CARLOTA *no contesta. En su mano descarnada levanta el libro y sonríe. La* DAMA DE COMPAÑÍA *lo toma*). ¿No
10 prefiere Vuestra Majestad leer en el costurero? ¡Hay tanto sol aquí!

CARLOTA *mueve negativamente la cabeza. La* DAMA DE COMPAÑÍA *se dirige al otro sillón, lo acerca un poco y se instala, abriendo el libro. En seguida levanta la cabeza, extrañada.*

DAMA DE COMPAÑÍA: ¿Qué libro es éste? (*Lee trabajosamente*). Historia de México.

CARLOTA (*Muy bajo*): México ... (*Sube la voz*): México ... (*Colérica de pronto*): ¡México!

DAMA DE COMPAÑÍA (*Levantándose*): Aseguro a Vuestra Majestad que no entiendo ...

CARLOTA: Luces, ¡pronto! ¡Luces! 5

*La* DAMA DE COMPAÑÍA *mueve la cabeza con azoro. El sol entra a raudales.*

CARLOTA: ¡Tan oscuro, tan oscuro! ¡Luces!

*La* DAMA DE COMPAÑÍA *corre a la puerta de la terraza y deja caer las cortinas. Pasa rápidamente al costurero, busca cerillos en una bolsa de costura, corre las cortinas del balcón, enciende las velas de un candelabro y pasa al salón izquierdo. Deposita el candelabro cerca de* CARLOTA, *sobre la mesa.*

CARLOTA: ¡Luces!

*La* DAMA DE COMPAÑÍA *sale precipitadamente por la segunda puerta izquierda.* CARLOTA *se levanta y se acerca a la mesa apoyándose en su bastón. Alza su mano libre y la pasa cerca de las llamas de los velones, mirándolos, como fascinada. Deja caer el bastón y aproxima sus dos manos a las velas, como acariciando las llamas. De pronto algo parece resonar en su memoria. Busca el libro dejado por la dama de compañía sobre la mesa, lo acerca a las luces y lo abre.*

CARLOTA (*Leyendo*): Historia de México. (*Repite muy bajito*): México ... México ...

*De pronto se lleva la mano a la boca con un gesto de horror. Sus ojos se dilatan. Hace un terrible esfuerzo, echando la cabeza hacia atrás. Al fin puede articular y lanza un grito horrendo y desgarrado.*

CARLOTA: ¡Max! 10

*Se tambalea y, falta de apoyo, cae. Su mano levantada derriba el candelabro.*
*Un hombre entra. Es de edad madura y usa una levita de*

*la preguerra. Tras él viene la* DAMA DE COMPAÑÍA. *Una ojeada basta al hombre para comprender la situación. Se acerca a* CARLOTA, *arrodillándose, y le toma el pulso.*

DAMA DE COMPAÑÍA (*Viendo a* CARLOTA *tirada en el suelo*): ¡Majestad!

DOCTOR: Déme usted pronto el aceite alcanforado, la jeringa hipodérmica, el alcohol, el algodón.

*La* DAMA DE COMPAÑÍA *va rápidamente al salón derecho y desaparece por la puerta de la derecha. Entre tanto, el* DOCTOR *levanta el candelabro y reenciende las velas. Ve el libro, lo abre y mira con extrañeza al aire. La* DAMA DE COMPAÑÍA *regresa con los objetos pedidos.*

5 DOCTOR: Ayúdeme usted a levantar a Su Majestad.

*Entre los dos acomodan el cuerpo de* CARLOTA *en un sillón, detrás de la mesa, hablando siempre.*

DOCTOR: ¿Qué fué exactamente lo que ocurrió?

DAMA DE COMPAÑÍA: Su Majestad me ordenó que le leyera la historia de Bélgica. En realidad nunca atiende a la lectura, pero usted me ha dado órdenes de no contradecirla, doctor.

*Metódicamente, el* DOCTOR *pone a hervir la jeringa. Mientras lo hace, y mientras el agua hierve, sigue el diálogo.*

10 DOCTOR: ¿Y luego?

DAMA DE COMPAÑÍA: Busqué el libro, pero Su Majestad debe de haberlo olvidado o escondido en el jardín, como hace a veces. Pasé al salón de al lado, y cuando volví ella tenía este libro entre las manos. Lo tomé, pensando que era el otro, y re-
15 sultó ser algo de México ...

DOCTOR (*Preparando la ampolleta para cargar la jeringa*): ¿Y cómo vino a dar aquí ese libro?

DAMA DE COMPAÑÍA: No lo sé. Entonces gritó México tres veces. Parecía enfadada. Y pidió luces, a pesar del sol. Como usted
20 me lo ordenó, corrí las cortinas y encendí estas bujías.

DOCTOR (*Procediendo a cargar la jeringa*): ¿Oyó usted el grito de Su Majestad cuando llegábamos?

DAMA DE COMPAÑÍA: Sí, doctor. ¡Me asustó tanto!
DOCTOR: ¿Qué fué lo que gritó?
DAMA DE COMPAÑÍA: Me pareció que gritaba: ¡Max! Pero es imposible. No ha pronunciado ese nombre en los veinte años que llevo cuidándola. Nunca. Probablemente oí mal. 5
DOCTOR: Yo oí lo mismo. Probablemente también oí mal. Tenga usted la bondad de ayudarme.

*Los dos cubren a* CARLOTA *y el médico aplica la inyección. Callan. El* DOCTOR *vuelve a tomar el pulso de la emperatriz.*

DAMA DE COMPAÑÍA (*Recogiendo los objetos de la mesa*): ¿Vive, doctor, vive?
DOCTOR: Vive. Quizás éste sea el último ataque, la crisis definitiva. 10 Toda resistencia tiene un límite. Me pregunto quién puede haber traído aquí ese libro.

[III]

*Volviéndose a mirar a* CARLOTA *una vez más, la* DAMA DE COMPAÑÍA *cruza el salón derecho, sale por el fondo, llevando los objetos, y vuelve un instante después. Los dos observan atentamente a* CARLOTA. *La* DAMA DE COMPAÑÍA *cruza las manos y baja la cabeza, como si rezara. El* DOCTOR *espera con intensidad.* CARLOTA *hace uno, dos, tres movimientos como de pájaro. Abre los ojos y se incorpora lentamente.*

CARLOTA: Más luces.

*La* DAMA DE COMPAÑÍA *pasa al salón derecho y regresa con otro candelabro. El* DOCTOR *la ayuda a encender los velones.* CARLOTA *mira en torno, se yergue. A la luz de las velas sus cabellos blancos parecen resplandecer.*

CARLOTA: Eso es, claro. ¡Todo está claro ahora!
DAMA DE COMPAÑÍA: ¿Se siente mejor Vuestra Majestad? 15
CARLOTA: Haced decir a Su Majestad que debo verlo en seguida. En seguida.
DAMA DE COMPAÑÍA: ¿A Su Majestad el Rey de ...?

*El* DOCTOR *la hace callar con un signo negativo.*

CARLOTA: Haced decir a Su Majestad el Emperador que tengo que hablarle con urgencia.

*El* DOCTOR *hace una señal afirmativa.*

DAMA DE COMPAÑÍA: Sí, Majestad.

CARLOTA: Esperad un instante. (*Se lleva las manos a la frente*). ¿Por qué estoy fatigada? ¡Oh, claro! Ese viaje tan largo. Debo de estar espantosa. (*Se toca los cabellos*). Haced decir a Su Majestad el Emperador que me vea dentro de media hora. (*Mira su traje pardo*). Debo quitarme primero este horrible traje de viaje ... peinarme un poco. Pero decidle que es importante que no hable con ninguno de los ministros hasta que me vea. Nadie debe saber que he regresado. Nadie.

*Se levanta. La* DAMA DE COMPAÑÍA *y el* DOCTOR *la ayudan.*

CARLOTA: Creí que no llegaría nunca. Quiero mi traje azul más reciente.

*La* DAMA DE COMPAÑÍA *mira con desaliento al* DOCTOR, *que le hace seña de seguir adelante.* CARLOTA, *hablando siempre, se dirige al salón derecho. El* DOCTOR *toma uno de los candelabros.*

CARLOTA: Por fortuna llego a tiempo. Ahora veremos. Decid a Su Majestad que ... (*Se detiene*). No, no; se lo diré yo misma. El traje azul estará bien. ¿Habéis desempacado ya todo?

DAMA DE COMPAÑÍA (*Alentada por el* DOCTOR): Sí, Majestad. Todo está listo.

CARLOTA: Luces. Traed más luces.

*El* DOCTOR *entrega a la* DAMA DE COMPAÑÍA *el candelabro que lleva, pasa al salón izquierdo y regresa con el otro.*

CARLOTA: Sobre todo, que nadie se entere de mi regreso más que el Emperador. Y que venga dentro de media hora. No tardaré más. Sólo mi traje azul y un retoque en el pelo. Y mis peinetas de carey con rubíes. Mi traje azul y mis cabellos. Me disgusta sentir así mis cabellos. Es la brisa del mar. (*Sale*).

DAMA DE COMPAÑÍA: Es espantoso, doctor. ¿Qué quiere decir esto? ¿Qué haremos?

DOCTOR: ¿Se conservan algunos de los antiguos trajes de Su Majestad?

DAMA DE COMPAÑÍA: Quedan dos o tres en su armario—todos ajados.

DOCTOR: No importa, ojalá haya uno azul. ¿Tiene las peinetas? 5

DAMA DE COMPAÑÍA: Sí, doctor. (*Reflexiona*). Creo que hay un traje azul, precisamente.

DOCTOR: Tanto mejor. Deje usted a Su Majestad al cuidado de una doncella. Que no se la contradiga en nada. Y en seguida haga usted avisar por teléfono a Su Majestad el Rey y a la 10 familia real.[2]

DAMA DE COMPAÑÍA (*Conmovida*): ¿Acaso ...?

DOCTOR: Creo que Su Majestad la Emperatriz morirá pronto, señora.

DAMA DE COMPAÑÍA: Pero ... ¿ha recobrado la razón? 15

DOCTOR (*Mirando las llamas de las velas*): Señora, la muerte se parece a la vida como la locura a la razón. Las llamas crecen mucho para apagarse. Haga usted lo que le he dicho. Yo veré si puedo hacer algo aún. Debo comunicarme con algunos colegas. 20

*La* DAMA DE COMPAÑÍA *sale por el fondo derecho. El* DOCTOR, *después de reflexionar un momento, pasa al salón izquierdo, deja el candelabro sobre la mesa y sale por la primera puerta izquierda. Al cabo de un momento, la* DAMA DE COMPAÑÍA *reaparece y sigue rápidamente el mismo camino del* DOCTOR, *dando indicios de mayor tristeza a pesar de su evidente premura.*

*Un momento después el viejo* PORTERO *asoma por entre las cortinas de la terraza, mira en torno y hace una señal hacia afuera. Entra* ERASMO RAMÍREZ.

PORTERO: Por fortuna no se han quedado. ¿Va usted a irse ahora, caballero?

ERASMO: Vuelvo a suplicarle que me deje aquí.

PORTERO: Sea usted humano, se lo ruego, sea usted ...

ERASMO (*Interrumpiéndolo*): ¿Por qué han corrido las cortinas, y 25 qué quieren decir estas velas?

PORTERO: No lo sé, señor, pero ...

ERASMO: Es curioso. Quizás ella ha vuelto a pedir luces. (*Ve su libro de pronto*). ¡Ah, mi libro! (*Lo toma. Mira al viejo* PORTERO, *que da muestras de abatimiento*). No se desespere, amigo. Si no quiere usted ayudarme no me quedará más remedio que renunciar a mi idea. Pero voy a explicarle una vez más lo que busco. Busco la verdad, para decirla al mundo entero. Busco la verdad sobre Carlota.

PORTERO: Su Majestad la Emperatriz.

ERASMO (*Suave y persuasivo*): En México la llamamos todos Carlota—no se ofenda usted. Es ya una anciana, una enferma. Puede morir de un día a otro, y nadie en el mundo podrá saber ya nada sobre ella. Quizás en lo que diga habrá algo, algo que me ayude en mi trabajo, que me ayude a entenderla mejor.

PORTERO: Usted la odia—todos los mexicanos la odian. Es natural que la odien.

ERASMO: La historia no odia, amigo; la historia ya ni siquiera juzga. La historia explica. Piense usted que he venido desde México para esto. Si usted no me ayuda, perderé mi esfuerzo y no tendré qué decir. Yo no creo, como todos en mi país, que Carlota haya muerto porque está loca. Creo que ha vivido hasta ahora para algo, que hay un objeto en el hecho de que haya sobrevivido sesenta años a su marido, y quiero saber cuál es ese objeto. Usted me dijo en el jardín que ha dedicado toda su vida a la Emperatriz; yo he dedicado toda mi vida a la historia, y las dos son lo mismo.

PORTERO (*Persuadido a medias*): Puede hacerle daño—puede pasar algo terrible. No, ¡no puede ser! ¡Por favor!

ERASMO: Piense que será usted, un servidor de este castillo, el que habrá ayudado a hacer la historia. Le prometo ponerlo en mi libro, cerca de la Emperatriz. Allí vivirán los dos hasta después de muertos—los dos: la emperatriz más orgullosa, el portero más humilde. Pero no voy a obligarlo.

*El* PORTERO *calla.* ERASMO *suspira, se encoge de hombros y se dirige a la primera puerta izquierda.*

PORTERO: ¿Es verdad todo eso? ¿Me dará usted un pequeño lugar, muy humilde, en su libro sobre la Emperatriz?

ERASMO: Le prometo dedicarle mi libro. A usted, sí, a usted. ¿Cómo se llama?

PORTERO: Etienne ...

## [IV]

*En este momento se oye abrirse la puerta de la recámara.* ERASMO *y el* PORTERO *retroceden, adosándose a la pared, semiocultándose en los pliegues de la cortina de la terraza.* CARLOTA *aparece vestida de azul, con un traje 1866, arrugado y marchito, pero de seda aún crujiente. Sus cabellos blancos, su máscara de vejez, realzan la majestad de su figura erguida. La precede una* DONCELLA *vieja con el otro candelabro.* CARLOTA *camina mirando al vacío. Al llegar a la puerta divisoria se detiene. Habla sin volverse.*

CARLOTA: Ved si avisaron a Su Majestad el Emperador que le aguardo aquí. Yo dije media hora, pero no ha pasado tanto 5 tiempo. Sin embargo, parece que ha pasado mucho tiempo. ¿Y qué es el tiempo? ¿Dónde está el tiempo? ¿Dónde lo guardan? ¿Quién lo guarda? (*Acaricia un poco su traje*). Mi traje azul. Parece que hace un siglo que no vestía yo de azul. Decid a Su Majestad que se dé prisa. Tengo que decirle 10 que ... ¿No recuerdo? Callad, indiscreta. Sí, recuerdo; pero sólo a él puedo decírselo. Por eso he callado durante todo el viaje—un viaje tan largo que parecía que no alcanzaría el tiempo para hacerlo. Pero el tiempo está guardado. Yo sé dónde está el tiempo. Pero no puedo decirlo. Sólo a 15 Su Majestad el Emperador. Decidle que venga pronto. Id, id ya.

*La* DONCELLA, *instruida sin duda por la* DAMA DE COMPAÑÍA, *se inclina y desaparece por la puerta del fondo.* CARLOTA *pasa al salón izquierdo. Se acerca al candelabro, lo mira y pasa su mano por entre las llamas de los velones.*

CARLOTA (*Como cantando*): Max, Max, Max. El tiempo está en el mar, naturalmente. No cabría en otra parte. Lo descubrí al hacer el viaje de regreso. Me di cuenta de que no teníamos 20 nada más. Pero tenemos mucho. Con eso triunfaremos. ¿Estás aquí, Max? (*Se vuelve*). ¿Quién ha corrido estas cortinas? (*Con creciente imperio*): Vamos ya. Decid a Su Majestad que se dé prisa. Tenemos mucho tiempo, pero no debemos perder un minuto. ¿Quién ha corrido estas cortinas? ¡Descorredlas en seguida!

*Las descorre apenas, y al hacerlo deja al descubierto la figura del viejo* PORTERO, *que se inclina desconsolado.*

PORTERO: Señora ...

CARLOTA: ¿Habéis avisado a Su Majestad? ¿Vendrá pronto? Id a llamarlo otra vez. Decidle que ... No. Sólo puedo decírselo a él. Pero está claro. Ese es el secreto de todo. Con eso triunfaremos.

*Abre las cortinas por el centro, sin objeto aparente, sin mirar siquiera, y deja al descubierto la figura desconcertada, pero inmóvil, solemne y respetuosa de* ERASMO RAMÍREZ.

CARLOTA: ¿Sois vos? ¿Hace mucho que estáis aquí?

PORTERO: ¡Perdón, señora! ¡Perdón, Majestad!

CARLOTA (*Al* PORTERO): Debisteis avisarme antes (*A* ERASMO): Pasad, señor, y sentaos. (*Le tiende la mano.* ERASMO, *vencido, la toca con la punta de los dedos*). (*Al* PORTERO): ¡Id pronto! Decid a Su Majestad que tenía yo razón. (*El* PORTERO, *petrificado, duda*). Vamos, ¡id ya de una vez! No me gusta mandar dos veces la misma cosa. Decid al Emperador Maximiliano que lo esperamos aquí. ¿Entendéis? Que lo *esperamos.*

*Levanta la mano con tal imperio, que el* PORTERO *obedece y sale por la terraza.* ERASMO *ha permanecido inmóvil, de pie, como fascinado por la figura de la emperatriz.*

CARLOTA: Sentaos.

ERASMO: Señora ...

CARLOTA: Sentaos, os lo ruego. Yo no puedo sentarme. Tengo demasiada energía para sentarme. No me sentaré mientras no venga el Emperador.

*Siempre digno y respetuoso,* ERASMO *se sienta en uno de los dos sillones. Sigue mirando a* CARLOTA *y espera.*

CARLOTA (*De pie frente a él*): Yo sabía que vendríais, que no podíais desoír mi mensaje. Lo sabía todo el tiempo mientras venía en ese barco tan largo. Y oía todo el tiempo las palabras de Max en mis oídos. "Es un hombre honrado, es un hombre honrado," me decía. Ese barco tan largo. Sois vos, 5 claro, sois vos. Nadie quería oírme, nadie quería creerme. Pero sois vos. Yo lo sabía. Yo sabía que vendríais. (*Pausa. Luego, con el tono de quien confiere una alta distinción*): Os lo agradezco tanto, señor Juárez.[3]

ERASMO *se levanta, electrizado pero siempre solemne, y se inclina. Se apagan las luces y se corre la cortina parcial en el salón de la derecha.*

CARLOTA: Sentaos. Me sentaré yo también. Es curioso, señor— 10 siempre que oía vuestro nombre, siempre que pensaba en vos, me parecía sentir que os detestaba, que os odiaba. Oí vuestro nombre cuando veníamos de Veracruz a México en una diligencia. Una voz gritó desde un lado del camino: "¡Viva Juárez!" Un camino tan largo. Y me pareció desde 15 entonces que os odiaba. Pero ahora os veo aquí, frente a mí, y sé que no es verdad. Yo no os odio—nunca os he odiado. Es curioso: nadie me inspira confianza ya, nadie—parece que hace mucho tiempo. ¿Qué es el tiempo? Pero vos me inspiráis confianza. Debo decíroslo antes de que venga Max— 20 debo decíroslo todo.

ERASMO (*En su papel de historiador, pero siempre solemne y respetuoso*): Señora, ¿por qué fueron ustedes a México?

CARLOTA: Estoy segura de que vos podréis entenderme. Debo decíroslo, señor Juárez. Parece haber pasado tanto tiempo. No, 25 no es eso, no. (*Se levanta y toma el candelabro, acercándolo al rostro de* ERASMO). Yo se lo expliqué todo a Max, se lo expliqué aquella noche en Miramar.[4] Aquella noche.

*Echa a andar, con el candelabro en la mano, hacia la puerta divisoria. Cuando va a trasponerla se apaga la luz en el salón izquierdo, sobre la figura inmóvil de* ERASMO, *y se corre la cortina parcial un momento después. No hay interrupción entre las escenas.*

OSCURO

# ESCENA SEGUNDA

*DERECHA*
*Alcoba de Carlota en el castillo de Miramar, 9 de abril, 1864.*

## [V]

*Se ilumina el salón de la derecha con la luz de los velones; pero quien tiene ahora el candelabro es* MAXIMILIANO, *envuelto en una bata de época. Deposita el candelabro sobre una mesilla. El salón derecho está convertido en la recámara de* CARLOTA. *Se ve una parte del gran lecho y un tocador al fondo. La iluminación baja debe completar la ilusión de ambiente.* MAXIMILIANO *parece pensativo. Un instante después entra* CARLOTA *por el fondo, envuelta en un peinador. Es joven ahora, como en 1864, y, despojada de la peluca blanca, lleva sueltos sus cabellos, que peinará ante el tocador durante la primera parte del diálogo.*

CARLOTA (*Sorprendida*): ¡Max!
MAXIMILIANO: Quiero hablar contigo. Estoy preocupado, Carlota.
CARLOTA: ¡Es tan tarde, querido! Estaré hecha un horror en la ceremonia de mañana.
5 MAXIMILIANO: Tú siempre estarás bien y siempre serás bella. Es tu privilegio. La princesa más bella de Europa.
CARLOTA: Y el archiduque más hermoso.
MAXIMILIANO: Deja tus cabellos un momento, querida, escúchame.
CARLOTA: Tengo que peinarme.
10 MAXIMILIANO: He venido a pedirte una cosa—quizás sea demasiado pedir. (*Ella espera, mientras se peina*). He venido a pedirte que sigas siendo la princesa más bella de Europa.
CARLOTA (*Volviéndose a mirarlo*): Y tú, ¿qué serás entonces?

MAXIMILIANO: Un archiduque cualquiera—tan feliz a tu lado como un cualquiera que no fuera siquiera archiduque.

CARLOTA (*Dejando sus cepillos*): Max, no hablas en serio. Mañana vas a aceptar la corona. ¿Qué ocurre? (*Se acerca a él*).

MAXIMILIANO: He pensado si tenemos el derecho a ... si tengo derecho a arrastrarte a una aventura semejante—a destruir nuestra felicidad.

CARLOTA (*Muy lenta*): ¿Eres feliz tú, Max?

MAXIMILIANO: Más que en toda mi vida. Te tengo a ti, tenemos este castillo, una vida tranquila para amar, para escribir y leer, para ver el mar. He pensado que podríamos emprender viajes, ahora que hay nuevas rutas, nuevos medios de transporte—ver el Oriente. ¡Hay tantas cosas en la naturaleza sola, amor mío, que no alcanzaría la vida para verlas! ¿Qué más queremos?

CARLOTA: ¿Te has preguntado si soy feliz yo, Max?

MAXIMILIANO (*Después de una pausa*): Creí que lo eras. Perdóname, soy un egoísta.

CARLOTA (*Cerca de él*): Eres un niño bueno. Yo no soy feliz, Max. No soy feliz aquí encerrada. Si tuviéramos hijos me dejaría engordar como las princesas alemanas, y dedicaría mi vida a cuidarlos con la esperanza de que alguno de ellos llegara a reinar un día—en Bélgica o en Austria, por un azar cualquiera.[5] Creo que haría calceta y política, y si tuviera una hija la casaría con un monarca poderoso. Pero, ¿puedo alimentar esa esperanza? ¿Qué nos detiene, Max? No tenemos nada que nos encadene a Europa. Allá seríamos emperadores.

MAXIMILIANO (*Paseando un poco*): A mí me detienes tú, Carlota: tu amor, tu felicidad, tu tranquilidad. Nacimos tarde para los tronos, y llegará un día en que los tronos se acaben. Entonces los pobres príncipes serán felices, libres.

CARLOTA: Nacimos tarde. ¿Y tú te resignas? No digas disparates, Max. Los tronos no se acabarán nunca, y es preferible que se sienten en ellos príncipes de sangre, educados para eso, que usurpadores o dictadores. ¿Qué somos aquí, Max? ¿Qué somos, te lo pregunto?

MAXIMILIANO: Dos amantes. Todos los príncipes de Europa nos envidian.

CARLOTA: No, Max, no, Max, no. Somos dos parias, dos mendigos dorados, dos miserables cosas sin destino. Tendrían que morir tu hermano y sus hijos para que pudieras reinar en Austria. Y eso si no sobrevivía tu madre.

5 MAXIMILIANO: ¡Carlota!

CARLOTA: Tendría que acabar toda mi dinastía para que tuviéramos una débil esperanza de reinar en Bélgica. Por ningún lado tenemos derechos ni esperanzas.

MAXIMILIANO: ¿Por qué no confiar en la vida? A veces la vida nos
10 trae sorpresas. Somos jóvenes, tenemos tiempo.

CARLOTA: No, mi ciego adorado, no, ¡no tenemos tiempo! El poder sería nuestro tiempo, los hijos serían nuestro tiempo. No tenemos nada. ¿Y no es ésta, justamente, la sorpresa que nos trae la vida? ¿No crees que es nuestro destino que
15 aparece al fin?

MAXIMILIANO: Eres ambiciosa, amor mío. El poder no dura, no es más que una luz prestada por poco tiempo al hombre. Una luz que se apaga cuando el hombre trata de retenerla demasiado. Por eso se han acabado y se acabarán las dinastías.
20 El poder sólo sigue siendo luz cuando pasa de una mano a otra, como las antorchas griegas—y nosotros estamos fuera de la carrera.

CARLOTA: ¿Estás ciego, Max? Mira en torno tuyo. Mira a Victoria,[6] tan poderosa ya; mira a mi padre buscando colonias; [7] mira
25 cómo Italia y Alemania se unifican, para hacerse fuertes; mira a Napoleón, emperador.[8] ¡Da risa! Si creyéramos a las malas lenguas, tú tendrías más derecho que él a ocupar el trono de Francia.

MAXIMILIANO: ¡Carlota!

30 CARLOTA: No te ofendas, amor mío. Se dice que el duque de Reichstadt fué tu padre.[9]

MAXIMILIANO: Carlota, te ruego que ...

CARLOTA: Si es que a nadie le importaría. Nuestras familias están llenas de cosas. Pero dime si no es irrisorio, mi Max, ¡irri-
35 sorio! Bonaparte emperador, y tú mendigo con uniforme y con medallas. ¡Eugenia emperatriz! [10] Una pequeña condesa española—ni siquiera es más bella que yo—emperatriz de los franceses. Y yo una mendiga cualquiera. ¿Tú sabes lo que piensa mi familia de mí? ¿Mi padre, mi hermano? ¡Po-

bre Carlota Amalia! De niña quería ser la reina siempre en todos los juegos—y no es más que la reina de Miramar.

MAXIMILIANO: La reina de Maximiliano.

CARLOTA: La reina de Miramar, la reina de su casa, una pobre burguesa sin importancia. Y alrededor de nosotros se forjan los grandes imperios, Max, y todo se nos va de las manos—no tenemos raíces en Europa.

MAXIMILIANO: ¿Las tenemos acaso en América?

CARLOTA: No, ya lo sé, no las tenemos, no; pero entonces no te das cuenta de lo maravilloso de eso mismo. En la tierra de Europa no hay savia para nuestras raíces, Max; en México la tierra es nueva y nos absorberá. En México conquistaríamos como en los siglos más valientes. ¡Comprende!

MAXIMILIANO: No, Carlota. Yo conozco la naturaleza, la he observado, la he estudiado. No es posible trasplantar ciertas raíces. Si fuéramos a México como conquistadores, tendríamos que regar nuestras raíces con sangre, y yo no nací para derramar la sangre de los hombres.

CARLOTA: Eres débil—tan débil como el duque de Reichstadt.

MAXIMILIANO: ¡Carlota, por favor! ¿Estás loca?

CARLOTA: Débil como Hamlet. ¿Te vas a pasar la vida esperando a que las gentes acaben de orar, o de comer, para decidirte? ¿Vas a esperar hasta que una flor muera para atreverte a cortarla? Eres débil, Max, débil, ¡débil!

MAXIMILIANO (*Levantándose*): Basta, Carlota. Me creo más fuerte que tú, que te dejas arrastrar por la ambición; me creo más fuerte que Napoleón, porque tengo escrúpulos; porque es más fuerte el que se abstiene que el que se rinde; porque hay a veces más valor en no hacer ciertas cosas que en hacerlas; porque se necesita ser muy fuerte para no delinquir. Lo que tú llamas mi debilidad es mi fuerza. Y no cortaré la flor viva, si tú quieres, porque no tengo derecho a cometer la cobardía de privarla de la vida.

CARLOTA: ¡Sofisma todo, Max, sofisma, mentira!

> MAXIMILIANO *hace ademán de salir.* CARLOTA *cambia de actitud de pronto. Se sienta, como vencida, en la cama. Habla con una voz quebrada.*

CARLOTA: Max, no te vayas.

*El se vuelve, se inclina sobre ella y le pasa las manos por los cabellos. Ella toma sus manos, se las lleva al rostro, las besa y lo hace sentar a su lado.*

## [VI]

MAXIMILIANO: Pobrecita mía—¿no te das cuenta de que todo es un sueño?

CARLOTA: Por eso lo creía posible, Max. Por increíble, por mara-
5 villoso. ¿No hablabas de un viaje por el Oriente? ¿Crees que podría ser más maravilloso que un imperio? Además, es el destino—ni tú ni yo lo buscamos. Los mexicanos vinieron solos, cayeron de las nubes. Es algo más milagroso que el reinado de Victoria; es el único cuento de hadas de este
10 siglo. Conquistar, gobernar una tierra nueva, un imperio de oro y plata ...

MAXIMILIANO: Despierta, Carlota, por favor. Tengo la idea muy clara de que los mexicanos no cayeron del cielo. Napoleón los mandó a nosotros con algún fin tortuoso y sórdido como
15 él. Es cierto que yo lo admiro; pero esta noche he sentido crecer en mí una gran desconfianza. ¿No invadió a México en '62? ¿Nos dejaría reinar acaso? ¿No intentará reinar sobre nosotros y conseguir beneficios para Francia? Es un mal hombre.

20 CARLOTA: ¿Y qué importaría eso? Lo venceríamos. ¿No eres bueno tú, no dices que el bien es más fuerte que el mal? ¿No te sientes capaz de reinar con justicia? Te llaman, te quieren más que a mí, querido mío. Por algo es. ¿Qué has esperado entonces todo este tiempo de tu vida si no eso? Cuando
25 veías a tu alrededor el mal y la injusticia de nuestros primos y de nuestros hermanos, los monarcas de esta Europa podrida para nosotros, ¿no sentías el deseo, la esperanza de gobernar bien, de hacer justicia?

MAXIMILIANO: Es cierto—pero era un sueño. ¿Quién sabe en Mé-
30 xico de mí, pobre archiduque segundón de una familia tan vieja que su vejez me infunde miedo? ¿Quién puede quererme allá?

CARLOTA: Tu destino. ¿No te han dado pruebas los mexicanos?

¿No te han mostrado los documentos del plebiscito que te llama?

MAXIMILIANO: Nombres desconocidos todos, de seres de otra raza, de otro clima, de otro paisaje—¿qué pueden esperar de mí?

CARLOTA (*Levantándose*): Esperan amor y justicia, creen en el sol 5 de la sangre y del rango. Me he informado, Max, tú lo sabes; he aprendido el español al mismo tiempo que tú, he leído mil cosas sobre México. Es el país del sol y tú te pareces al sol. Te lo dije siempre—y siempre deseé que el príncipe que me desposara se pareciera al sol como tú. 10

MAXIMILIANO: Un país rico de gentes pobres, de mendigos sentados sobre montañas de oro. Una lista de nombres desconocidos para mí como yo lo soy para ellos. Pudieron firmar todos con cruces y sería lo mismo. Cruces. El nombre mismo del país tiene una *x* que es una cruz. 15

CARLOTA: Quiere decir que allí se cruza todo, ¿no lo ves? Nuestra sangre y la de ellos.

MAXIMILIANO: Es verdad, Carlota, ¡es verdad! Todo se cruza allí. Las viejas pirámides mayas y toltecas y la cruz cristiana; los sexos de las mujeres nativas y de los conquistadores es- 20 pañoles; las ideas de Europa y la juventud de la tierra. Todo puede hacerse allí, ¿no crees que todo puede hacerse?

CARLOTA: Todo puedes hacerlo tú, Max.

MAXIMILIANO (*Levantándose*): Un imperio en el que cada quien haga lo que debe hacer. 25

CARLOTA: Eso es una democracia, Max.

MAXIMILIANO: Ahora ya sabes mi secreto. Lo que no he podido hacer en Europa: ni en Venecia, ni en Austria, sobre todo, quisiera hacerlo en México, y quizás solamente por eso voy, y por ti, mi mendiga, mi reina. Pero no será una corona de 30 juego, Carlota. Habrá otras cosas—habrá lágrimas tal vez. ¿Serás feliz así?

CARLOTA: ¿Lo preguntas?

MAXIMILIANO: "Todo puedo hacerlo yo." ¿Qué podría yo hacer sin ti, que eres mi voluntad y mi sangre y mi fuerza? 35

CARLOTA: No digas eso, Max, no digas eso. Tu fuerza es tu bondad—yo soy tu esclava.

MAXIMILIANO: Me pregunto si no nos odiarán, si no nos sentirán intrusos hasta el odio.

CARLOTA (*Volviendo a sentarse*): ¿Tú crees que pueden odiar el sol en parte alguna? Nos admirarán, los deslumbraremos, son una raza mixta, inferior ...

MAXIMILIANO: No digas eso. No hay razas inferiores. El hombre
5 está hecho a semejanza de Dios: ¿cómo podría una semejanza de Dios ser más baja que otra? No digas nunca eso. Si vamos, iremos con amor.

CARLOTA (*Sintiéndolo ya vencido*): Tú pondrás el amor, Max.

MAXIMILIANO: Los dos, Carlota. Esa es la condición. Además, sé
10 que tú los amarás.

CARLOTA: Los dos.

*Callan un momento. Las llamas de los velones consumidos a medias se agigantan.* CARLOTA *se reclina en un cojín, con los ojos en lo alto.* MAXIMILIANO *se arrodilla al pie del lecho, descansando la cabeza en el regazo de* CARLOTA.

CARLOTA (*A media voz, como quien arrulla a un niño*): Maximiliano emperador—Maximiliano emperador ...

MAXIMILIANO (*Con voz soñolienta*): Es un sueño, Carla.

15 CARLOTA: Por eso es verdad, Max. ¿Quieres apagar esas luces?

*Bajo la mirada de* CARLOTA, MAXIMILIANO *apaga las bujías, una a una.*

CARLOTA (*En la oscuridad*): Ven, Max. Aquí estoy.

OSCURO

## ESCENA TERCERA

*IZQUIERDA*
*Alcoba de Maximiliano en el castillo de Chapultepec, 12 de junio, 1864.*

### [VII]

*En la oscuridad se escucha la voz de* CARLOTA, *vieja.*

LA VOZ DE CARLOTA: Nuestra primera noche en México, ya acostada, en mi alcoba, sentí un deseo imperioso de ver a Max. Me acerqué a la puerta de comunicación. Oí voces, y esperé hasta que las voces se apagaron.

*Una procesión de sombras, guiada por la luz de las velas encendidas, pasa de derecha a izquierda. Se ilumina la escena al entrar en el salón de la izquierda, primero, un lacayo con el candelabro; detrás* MAXIMILIANO, *detrás* MIRAMÓN *y* LACUNZA. *Otras figuras confusas quedan atrás.*

MAXIMILIANO: Buenas noches, señores. 5

*El lacayo sale, las sombras pasan del centro a la derecha y desaparecen. Se corre el telón parcial sobre el salón de la derecha.* MIRAMÓN *y* LACUNZA *se inclinan para salir.*

MAXIMILIANO: No, quedaos, general Miramón.[11] Quedaos, señor Lacunza.[12]

*Los dos se inclinan.*

MIRAMÓN: Su Majestad debe de estar fatigado. Mañana habrá tantas ceremonias que ...

MAXIMILIANO: No sé bien por qué, general, pero sois la única persona, con Lacunza, que me inspira confianza para pregun- 10

tarle ciertas cosas. Ya sé que sois leal—otros lo son también; pero nunca les preguntaría yo esto. (MIRAMÓN *espera en silencio*). Será porque sois europeo de origen como yo. Bearnés, es decir, franco. Habéis sido presidente de Mé-
5 xico, ¿no es verdad?

MIRAMÓN: Dos veces, sire.

MAXIMILIANO: Y eso no os impidió llamarme a México para gobernar.

MIRAMÓN: No, Majestad.

10 MAXIMILIANO: ¿Por qué? (*Pausa*). Os pregunto por qué.

MIRAMÓN: Pensaba cuál podría ser mi respuesta sincera, sire. Nunca pensé en eso. Hay motivos políticos en la superficie, claro.

MAXIMILIANO: ¿Aceptasteis la idea de un príncipe extranjero sólo
15 por odio a Juárez?

MIRAMÓN: No, sire.

MAXIMILIANO: ¿Entonces?

MIRAMÓN: Perdone Vuestra Majestad—pero todo se debe a un sueño que tuve.

20 MAXIMILIANO: ¿Podéis contármelo?

MIRAMÓN: No sé cómo ocurrió, sire, pero vi que la pirámide había cubierto a la iglesia. Era una pirámide oscura, color de indio. Y vi que el indio había tomado el lugar del blanco. Unos barcos se alejaban por el mar, al fondo de mi sueño,
25 y entonces la pirámide crecía hasta llenar todo el horizonte y cortar toda comunicación con el mar. Yo sabía que iba en uno de los barcos; pero también sabía que me había quedado en tierra, atrás de la pirámide, y que la pirámide me separaba ahora de mí mismo.

30 MAXIMILIANO: Es un sueño extraño, general. ¿Podéis descifrar su significado?

MIRAMÓN: Me pareció ver en este sueño, cuando desperté, el destino mismo de México, señor. Si la pirámide acababa con la iglesia, si el indio acababa con el blanco, si México se aislaba
35 de la influencia de Europa, se perdería para siempre. Sería la vuelta a la oscuridad, destruyendo cosas que ya se han incorporado a la tierra de México, que son tan mexicanas como la pirámide—hombres blancos que somos tan mexicanos como el indio, o más. Acabar con eso sería acabar con una

parte de México. Pensé en las luchas intestinas que sufrimos desde Iturbide;[13] en la desconfianza que los mexicanos han tenido siempre hacia el gobernante mexicano; en la traición de Santa-Anna,[14] en el tratado Ocampo-McLane[15] y en Antón Lizardo.[16] En la posibilidad de que, cuando no quedara aquí piedra sobre piedra de la iglesia católica, cuando no quedara ya un solo blanco vivo, los Estados Unidos echaran abajo la pirámide y acabaran con los indios. Y pensé que sólo un gobernante europeo, que sólo un gobierno monárquico ligaría el destino de México al de Europa, traería el progreso de Europa a México, y nos salvaría de la amenaza del Norte y de la caída en la oscuridad primitiva.

MAXIMILIANO (*Pensativo*): ¿Y piensan muchos mexicanos como vos, general?

MIRAMÓN: No lo sé, Majestad. Yo diría que sí.

LACUNZA: Todos los blancos, Majestad.

MIRAMÓN: Tomás Mejía es indio puro,[17] y está con nosotros.

MAXIMILIANO *pasea un poco.*

MAXIMILIANO: Quiero saber quién es Juárez. Decídmelo. Sé que es doctor en leyes, que ha legislado, que es masón como yo; que cuando era pequeño fué salvado de las aguas como Moisés. Y siento dentro de mí que ama a México. Pero no sé más. ¿Es popular? ¿Lo ama el pueblo? Quiero la verdad.

MIRAMÓN: Señor, el pueblo es católico, y Juárez persigue y empobrece a la iglesia.

LACUNZA: Señor, el pueblo odia al americano del norte, y Juárez es amigo de Lincoln.

MIRAMÓN: Juárez ha vendido la tierra de México, señor, y el pueblo, además, ama a los gobernantes que brillan en lo alto. Juárez está demasiado cerca de él y es demasiado opaco. Se parece demasiado al pueblo. Ese es un defecto que el pueblo no perdona.

LACUNZA: Señor, el pueblo no quiere ya gobernantes de un día, y Juárez buscaba la república.

MIRAMÓN: El mexicano no es republicano en el fondo, señor. Su experiencia le enseña que la república es informe.

LACUNZA: El mexicano sabe que los reyes subsisten en Europa, conoce la duración política de España, y aquí, en menos de medio siglo, ha visto desbaratarse cuarenta gobiernos sucesivos.

MAXIMILIANO: Iturbide quiso fundar un imperio.

5 MIRAMÓN: Se parecía demasiado a España, señor, y estaba muy cerca de ella. Por eso cayó.

MAXIMILIANO: Decidme una cosa: ¿odia el pueblo a Juárez, entonces?

*Los mira alternativamente. Los dos callan.*

MAXIMILIANO: Comprendo. Juárez es mexicano. Pueden no quererlo, pero no lo odian. Pero entonces el pueblo me odiará a mí. 10

MIRAMÓN: Nunca, señor.

LACUNZA: El pueblo ama a Vuestra Majestad.

MAXIMILIANO: ¿Me ama a mí y ama a Juárez? Eso sería una solución, quizás: Juárez y yo juntos. 15

MIRAMÓN: ¿Se juntan el agua y el aceite? El pueblo no os lo perdonaría nunca.

MAXIMILIANO: Si el pueblo nos amara a los dos, ¿no sería posible ese milagro?

20 LACUNZA: Nunca, señor.

MAXIMILIANO: Pero vosotros sois mexicanos y me aceptáis y me reconocéis como vuestro emperador. Los que me buscaron en Miramar también lo eran. ¿Os alejaríais de mí si Juárez se acercara? (*Los dos hombres callan*). Si el pueblo odia a los Estados Unidos del Norte, ¿cómo puede amar a Juárez? Comprendo bien: Juárez es mexicano. Pero si se acercara a mí, eso os apartaría. Luego entonces, vosotros, toda vuestra clase, que está conmigo, lo odia. 25

MIRAMÓN: No lo odiamos señor. No queremos que la pirámide gobierne, no queremos que muera la parte de México que somos nosotros, porque no sobramos, porque podemos hacer mucho. 30

MAXIMILIANO: Como ellos.

MIRAMÓN: Yo no odio a Juárez, señor. Lo mataría a la primera ocasión como se suprime una mala idea. Pero no lo odio. 35

MAXIMILIANO: Pero lo mataríais. No me atrevo a comprender por qué. Decidme, ¿por qué lo mataríais?

LACUNZA: Porque Juárez es mexicano, Majestad.
MAXIMILIANO: Ese era el fondo de mi pensamiento: la ley del clan. Adiós, señores.

## [VIII]

*Los dos hombres se inclinan y van a salir.*

MAXIMILIANO: Me interesan mucho vuestros sueños, general Miramón. Si alguna vez soñáis algo sobre mí, no dejéis de contármelo, os lo ruego. Señor Lacunza, quiero leer mañana mismo las Leyes de Reforma, y escribir una carta a Juárez. Buscadme a Juárez. 5

LACUNZA *y* MIRAMÓN *levantan la cabeza con asombro.* MAXIMILIANO *los despide con una señal, y salen después de inclinarse. Solo,* MAXIMILIANO *pasea un momento. Se oye, de pronto, llamar suavemente a la segunda puerta izquierda.* MAXIMILIANO *va a abrir. Entra* CARLOTA.

MAXIMILIANO: ¡Tú!
CARLOTA: No podría dormir hoy sin verte antes, amor mío. (*En tono de broma*). ¿Vuestra Majestad Imperial está fatigada? 10
MAXIMILIANO: Mi Majestad Imperial está molida. ¿Cómo está Vuestra Majestad Imperial?
CARLOTA: Enamorada.

*Se toman de las manos, se sientan.*

MAXIMILIANO: ¿Satisfecha por fin? 15
CARLOTA: Colmada. Tengo tantos planes, tantas cosas que te diré poco a poco para que las hagamos todas. Ya no hay sueños, Max, ya todo es real. Verás qué orden magnífico pondremos en este caos. Tendremos el imperio más rico, más poderoso del mundo. 20
MAXIMILIANO: El más bello desde luego. Me obsesiona el recuerdo del paisaje. He viajado mucho, Carla, pero nunca vi cosa igual. Las cumbres de Maltrata me dejaron una huella profunda y viva.[18] Sólo en México el abismo puede ser tan fascinante. Y el cielo es prodigioso. Se mete por los ojos y 25 lo inunda a uno, y luego le sale por todos los poros, como si chorreara uno cielo.

CARLOTA: Max—¿recuerdas ese grito que oímos en el camino? Yo lo siento todavía como el golpe de un hacha en el cuello: "¡Viva Juárez!" Por fortuna mataron al hombre, pero su voz me estrangula aún.

5 MAXIMILIANO (*Levantándose*): ¿Qué dices? ¿Lo mataron?

CARLOTA: Oí sonar un tiro a lo lejos.

MAXIMILIANO: ¡No! ¡No es posible! Tendré que preguntar ...

*Va a tirar de un grueso cordón de seda.*

CARLOTA (*Levantándose y deteniendo su brazo*): ¿Qué vas a hacer?

MAXIMILIANO: A llamar, a esclarecer esto en seguida. ¡No, no, no!

10 No es posible que nuestro paso haya dejado tan pronto una estela de sangre mexicana. ¡No!

CARLOTA (*Llevándolo*): Ven aquí, Max, ven, siéntate. Quizás estoy equivocada, quizá no hubo ningún tiro—quizás el hombre escapó.

15 MAXIMILIANO: ¡Carla!

*Se deja caer junto a ella, cubriéndose la cara con las manos.*

CARLOTA: ¿Si no hubiera escapado oiría yo su grito aún? Tienes razón, Max, no es posible. No puede haber pasado eso.

MAXIMILIANO: No, ¡no puede haber pasado!

*Ella lo acaricia un poco; él se abandona. Pausa.*

CARLOTA: Max, escuché involuntariamente al principio, delibe-

20 radamente después, tu conversación. ¿Para qué quieres escribir a Juárez?

MAXIMILIANO (*Repuesto*): Este es el país más extraordinario que he visto, Carlota. Ahora puedo confesarte que todo el tiempo, en el camino, al entrar en la ciudad, a cada ins-

25 tante sentí temor de un atentado contra nosotros. Hubiera sido lo normal en cualquier país de Europa. Pero he descubierto que aquí no somos nosotros quienes corremos peligro: son los mexicanos, es Juárez. Por eso quiero escribirle.

30 CARLOTA: ¿Qué dices?

MAXIMILIANO: Quiero salvar a Juárez, Carlota. Lo salvaré.

CARLOTA: Max, olvida a ese hombre. No sé por qué, pero sé que lo odio, que será funesto para nosotros. Tengo miedo, Max.

MAXIMILIANO: ¿Tú, tan valiente? La princesa más valiente de Europa. ¿O conoces a otra que se atreviera a esta aventura? No, amor mío, no tengas miedo. Tú me ayudarás. Nosotros salvaremos a Juárez. 5

CARLOTA: ¡Oh, basta, Max, basta! No he venido a hablar de política contigo, no quiero oír hablar nunca más de ese hombre. Olvidemos todo eso.

MAXIMILIANO: Es parte de tu imperio. 10

CARLOTA: Esta noche no quiero imperio alguno, Max. He sentido de pronto una horrible distancia entre nosotros. Estaremos juntos y separados en el trono y en las ceremonias y en los bailes; tendremos que decirnos vos, señor, señora. ¡Oh, Max, Max! Nunca ya podremos irnos juntos de la mano 15 y perdernos por los jardines como dos prometidos o como dos amantes.

MAXIMILIANO: ¡Mi Carlota, mi emperatriz!

CARLOTA: No me llames así, Max. Carla, como antes. Dime, Max, ¿no podremos ser amantes ya nunca? 20

MAXIMILIANO: ¿Y por qué no?

CARLOTA: ¿No nos separará este imperio que yo he querido, que yo he buscado? ¿No tendré que arrepentirme un día de mi ambición? ¿No te perderé, Max?

MAXIMILIANO (*Acariciándola*): ¡Loca! 25

CARLOTA: No. ¿Acaso no vi cómo te miraban estas mexicanas de pies asquerosamente pequeños, pero de rostros lindos? Todas te miraban y te deseaban como al sol.

MAXIMILIANO: ¿Me haces el honor de estar celosa? Por ti acepté el imperio, Carlota; pero ahora sólo por ti lo dejaría. Vayá- 30 monos ahora mismo, si tú quieres, como dos amantes. (*Sonríe ampliamente*). ¡Qué cara pondrían mañana los políticos y los cortesanos si encontraran nuestras alcobas vacías y ningún rastro de nosotros! ¡Cuántos planes, cuántas combinaciones, cuántas esperanzas no se vendrían abajo! 35 ¡Sería tan divertido!

CARLOTA: Si hablas en serio, Max, vayámonos. Te quiero más que al imperio. Me persigue todavía aquella horrible canción en italiano ...

MAXIMILIANO (*A media voz*): "Massimiliano—non te fidare ..."
CARLOTA: No sigas, ¡por favor!
MAXIMILIANO (*Mismo juego, soñando*): "Torna al castello—de Miramare." [19] (*Reacciona*). No podemos volver, Carla. Tú
5 tenías razón; nuestro destino está aquí.
CARLOTA: Si tú quieres volver, no me importará dejarlo todo, Max.
MAXIMILIANO (*Tomándole la cara y mirándola hasta el fondo de los ojos*): ¿Quieres volver tú, renunciar a tu imperio? Di la verdad.
10 CARLOTA: No, Max. Hablemos con sensatez. Yo lo quería y lo tengo; es mi elemento, me moriría fuera de él. Pero soy mujer y no quiero perderte a ti tampoco. ¡Júrame ...
MAXIMILIANO: ¿Desde cuándo no nos bastan nuestra palabra y nuestro silencio? Sólo los traidores juran. (*La acaricia*).
15 Hace una noche de maravilla, Carla. ¿Quieres que hagamos una cosa? (*Ella lo mira*). El bosque me tiene fascinado. Chapultepec, lugar de chapulines.[20] Quisiera ver un chapulín: tienen un nombre tan musical ... (*Se levanta, teniéndola por las manos*). Escapemos del imperio, Carlota.
20 CARLOTA: ¿Qué dices?
MAXIMILIANO: Como dos prometidos o como dos amantes. Vayamos a caminar por el bosque azteca cogidos de la mano. ¿Quieres? (*La atrae hacia él y la hace levantar*).
CARLOTA: ¡Vamos! (*Se detiene*). Max ...
25 MAXIMILIANO: ¿Amor mío?
CARLOTA: He estado pensando ... No quiero perderte nunca de vista. ¿Sabes qué haremos ante todo? (MAXIMILIANO *la mira, teniendo siempre su mano*). Haremos una gran avenida, desde aquí hasta el palacio imperial.[21]
30 MAXIMILIANO: Es una bella idea; pero, ¿para qué?
CARLOTA: Yo podré seguirte entonces todo el tiempo, desde la terraza de Chapultepec, cuando vayas y cuando vuelvas. ¡Dime que sí!
MAXIMILIANO: Mañana mismo la ordenaremos, Carla. Vamos al
35 bosque ahora.
CARLOTA: Con una condición: no hablaremos del imperio, te olvidarás para siempre de Juárez.
MAXIMILIANO: No hablaremos del imperio. Pero yo salvaré a Juárez.

CARLOTA (*Desembriagada*): Hasta mañana, Max.

MAXIMILIANO: ¡Carlota! Espera.

CARLOTA: ¿Para qué? Has roto el encanto. Yo pienso en ti y tú piensas en Juárez.

MAXIMILIANO: No podemos separarnos así, amor mío. Vamos, te lo ruego.

*Le besa la mano; luego la rodea por la cintura con un brazo. Ella apoya su cabeza en el hombro de él. En la puerta de la terraza, Carlota habla.*

CARLOTA: Quizás sea la última vez.

*Salen. La puerta queda abierta. Un golpe de viento apaga los velones semiconsumidos. Cae el*

TELON

# ACTO SEGUNDO

## ESCENA PRIMERA

*DERECHA*
*Salón de Consejo en el castillo*
*de Chapultepec, 1865.*

### [IX]

*El telón se levanta sobre el salón derecho, mientras el de la izquierda permanece en la oscuridad.* MAXIMILIANO *y* CARLOTA *descienden del trono.* BAZAINE *está de pie, cerca de la puerta divisoria.* MEJÍA, BLASIO *y* LABASTIDA *componen otro grupo, a poca distancia del cual está, a la derecha, el* PADRE FISCHER.

MAXIMILIANO: He satisfecho al fin vuestro deseo, Mariscal. Tenéis el apoyo de ese decreto.[22] Procurad serviros de él con moderación, os lo encarezco.

BAZAINE: [23] Vuestra Majestad sabe que el decreto era necesario. No es cuestión de regatear ahora. 5

CARLOTA: Su Majestad el Emperador no es un mercader ni el Imperio de México es un mercado, señor Mariscal. Se os recomienda moderación, eso es todo.

BAZAINE: Permitidme, señora, que pregunte a Su Majestad el Emperador por qué firmó el decreto si no estaba convencido 10 de que no había medio mejor de acabar con la canalla.

MEJÍA *hace un movimiento.* MAXIMILIANO *se vuelve a él y lo contiene con una señal.*

MAXIMILIANO: Ocurre, Mariscal, que esa canalla es parte de mi pueblo, al que vos parecéis despreciar.

BAZAINE: ¿Quiere Vuestra Majestad que admire a gentes desharrapadas que se alimentan de maíz, de chile y de pulque? Yo 15 pertenezco a una nación civilizada y superior, como Vuestras Majestades.

CARLOTA: Es cosa que a veces podría ponerse en duda, señor Mariscal. ¿No os casasteis con una mexicana? [24]

5 BAZAINE: Como mujer, aunque extraordinaria, Vuestra Majestad pierde de vista ciertas cosas, señora.

*Esta vez* MEJÍA *lleva la mano al puño de la espada y adelanta un paso.*

MAXIMILIANO: Basta, señor Mariscal. Todo lo que os pido es que conservéis mi recomendación en la memoria. Habláis de los alimentos del pueblo, pero olvidáis dos que son esencia-

10 les: el amor y la fe. Yo vine a traer esos alimentos al pueblo de México, no la muerte. (*Se vuelve a* LABASTIDA). Su Ilustrísima comparte mi opinión sin duda.

LABASTIDA: [25] Señor, Jesucristo mismo tuvo que blandir el látigo para arrojar del templo a los mercaderes. Vuestra Majestad

15 ha sacrificado, por razones de Estado, a muchos conservadores leales, en cambio. Lo que es necesario es necesario.

BAZAINE: Eso es lo que nos separa a los militares de las gentes de iglesia: ellos hacen política, nosotros no. Ellos creen en el amor y en el látigo; nosotros creemos en el temor y en la

20 muerte. Todo gobierno tiene dos caras, señor, y una de ellas es la muerte.

MAXIMILIANO: No mi gobierno, señor Mariscal.

BAZAINE: En ese caso, anule Vuestra Majestad su decreto. Yo dudo mucho que sin una garantía de seguridad por parte de

25 vuestro gobierno consienta el Emperador Napoleón en dejar más tiempo a sus soldados en México.

CARLOTA: ¿Pretendéis dar órdenes o amenazar a Su Majestad, señor Mariscal?

BAZAINE (*Con impaciencia*): Lo que pretendo, señora, es que Su

30 Majestad haga frente a la verdad de las cosas. Pero Su Majestad es un poeta y cree en el amor. Excusadme por hablar libremente: soy un soldado y no un cortesano. Como soldado, encuentro vergonzoso el pillaje del populacho, la amenaza de la emboscada contra mis soldados, que son como

35 hijos míos, que son la flor de Francia: valientes y galantes.

Me importa la vida de mis soldados, no la de los pelados de México.

MAXIMILIANO: Os serviréis retiraros y esperar mis órdenes, señor Mariscal.

*BAZAINE hace un altanero saludo.*

MEJÍA (*Temblando de cólera*): Si Vuestras Majestades me dan su graciosa venia para retirarme ... 5

*Tiene los ojos en alto y la mano en la espada.* BAZAINE *se vuelve a mirarlo. Todos comprenden la inminencia del choque.*

MAXIMILIANO: Quedaos, general, os lo ruego. (MEJÍA *hace un movimiento*). Os lo mando.

*Pero la tensión persiste un momento aún.* MEJÍA *y* BAZAINE *se miden lentamente de pies a cabeza.*

BAZAINE (*Sonriendo, a media voz*): *Mais regardez-moi donc le petit Indien.*[26] 10

MAXIMILIANO (*Conteniendo a* MEJÍA): Mariscal, voy a ...

PADRE FISCHER (*Interponiéndose*): [27] Con perdón de Vuestra Majestad, desearía hacer algunas preguntas al señor Mariscal antes de que se retire.

MAXIMILIANO: Podéis hacerlo, Padre. 15

BAZAINE, *que tenía la mano en el picaporte, la baja y espera sin acercarse.* MEJÍA *se retira junto a* BLASIO *y* LABASTIDA. CARLOTA *se acerca a* MAXIMILIANO.

PADRE FISCHER: ¿No estimáis acaso, señor Mariscal, que el decreto de Su Majestad, grave como es, encierra un espíritu de cordialidad hacia el Emperador Napoleón y hacia el ejército francés?

BAZAINE: Así parece, en principio. 20

PADRE FISCHER: Entonces, ¿por qué no dais prueba de un espíritu análogo acatando el deseo de moderación que os ha expresado Su Majestad? Aun así, haríais menos de lo que ha hecho el Emperador.

BAZAINE: Yo no soy político, Padre Fischer. Entiendo lo que queréis decir, sin embargo: debería plegarme en apariencia al 25 deseo de su Majestad y hacer después lo que me pareciera mejor, ¿no es eso?

PADRE FISCHER (*Descubierto*): Interpretáis mal mis palabras, señor Mariscal. No añadiré nada. Yo no soy un traidor.

5 BAZAINE: Si insinuáis que yo ...

CARLOTA: Había yo entendido que el señor Mariscal se retiraba.

BAZAINE (*Asiendo el toro por los cuernos*): Ya sé, señora, que en vuestra opinión no soy más que una bestia. (CARLOTA *se vuelve a otra parte*). Mi elemento es la fuerza, no la polí-

10 tica. Soy abierto y franco cuando me conviene, y ahora me conviene. Mis maneras son pésimas, pero mi visión es clara. El imperio estaba perdido sin ese decreto, que no es más que una declaración de ley marcial, normal en tiempos de guerra. El imperio estará perdido si lo mitigamos ahora.

15 Lo único que siento es que Su Majestad lo haya promulgado tan tarde. Unos cuantos colgados hace un año, y estaríamos mucho mejor ahora. El único resultado de la indecisión del Emperador es que ahora tendremos que colgar unos cuantos miles más.

20 MAXIMILIANO: Creía yo que vuestro ejército se batía, Mariscal, y que se batía por la gloria.

BAZAINE: No contra fantasmas que no luchan a campo abierto, señor, y la gloria es una cosa muy relativa si no está bien dorada.

25 MAXIMILIANO: Se ha pagado a vuestros soldados, ¿o no?

BAZAINE: Con algún retraso, sí. Hasta ahora.

MAXIMILIANO: ¿Creéis que he cerrado voluntariamente los ojos ante el pillaje innecesario de vuestro ejército? No, señor Mariscal. Tengo que esperar por fuerza el momento opor-

30 turno para ponerle fin. Pero le pondré fin.

BAZAINE: Con mi bestial franqueza diré a Vuestra Majestad que no hay que impedir que los soldados se diviertan. Para algo se juegan la vida, ¡qué diablo!, si Su Majestad la Emperatriz me permite jurar. No os aconsejo que reprimáis a mis

35 soldados, sire. Sabéis de sobra que sin ellos vuestro imperio no duraría un día más. Seamos francos.

CARLOTA: Seamos francos, sí. ¿Pretendéis acaso gobernar a México en nombre del Emperador de Francia, imponernos vuestra ley?

BAZAINE: Señora, yo tengo mis órdenes y las cumplo.
MAXIMILIANO: ¿Ordenes de quién?
BAZAINE: De Napoleón III, señor.
MEJÍA: Permitidme deciros, Mariscal, que el único que puede daros órdenes en México es el Emperador Maximiliano. 5
BAZAINE: Para eso sería preciso que tuviera yo la dudosa fortuna de ser mexicano, general.
MEJÍA: Retiraréis esas palabras. (BAZAINE *ríe entre dientes*).
MAXIMILIANO: ¡Señores! ¿Qué significa todo esto? Si no podéis conteneros en nuestra presencia ... 10
MEJÍA: Pido humildemente perdón a Sus Majestades. Yo también soy soldado, pero creo en la gloria, en la devoción y en el heroísmo. Si el ejército francés se retirara, como lo insinúa el Mariscal, aquí estaríamos nosotros, señor, para morir por vos, para que nuestra muerte diera vida al imperio. 15
BAZAINE: Yo no pienso morir por nadie, aunque mate por Vuestra Majestad.
MEJÍA (*A* MAXIMILIANO): Y he pensado que me gustaría, señor, encontrarme con el Mariscal y su ejército en mi pueblo y en mi sierra. 20
LABASTIDA: Majestad ... (MAXIMILIANO *le hace seña de que hable*). Señor Mariscal, creo que nos hemos salido del punto. Yo no comprendo los nobles escrúpulos del Emperador. Son los escrúpulos de un alma cristiana; pero creo que no hay que exagerarlos. Toda causa tiene sus mártires y sus víctimas; los del otro partido son siempre los traidores. Quizás esta nueva actitud del Emperador cambie la penosa impresión que subsiste en el ánimo de Su Santidad Pío IX, y traiga nuevamente al gobierno a los leales conservadores. Mi impresión es que la índole tan drástica del decreto impondrá el orden y el respeto a la ley que Vuestra Majestad necesita para gobernar en paz, y que es una garantía contra los facciosos juaristas, enemigos de su propio país. Por una parte, veo sólo efectos benéficos en lo moral, y por la otra creo que se derramará muy poca sangre—la estrictamente necesaria—gracias a la amplitud misma del decreto.
BAZAINE: No se hace una tortilla sin romper los huevos, señor. Lo que me maravilla, Ilustrísima, es que la iglesia siempre se las arregla para tener razón.

LABASTIDA: La iglesia es infalible, señor Mariscal, gracias a Su Santidad Pío IX.[28] (*Se acerca a* MAXIMILIANO). Tranquilizad vuestra conciencia, Majestad, con la idea de que un poco de sangre juarista no agotará a México, en tanto que
5 el triunfo de Juárez sería la destrucción y la muerte del país. Y meditad en mi consejo, os lo ruego. (*Va a* CARLOTA). Señora, en vuestras manos está el devolver la paz al ánimo de Su Majestad el Emperador con vuestro inteligente y dulce apoyo y con vuestra clarísima visión de las cosas.
10 MAXIMILIANO: Agradezco a Su Ilustrísima este consuelo—es el de la iglesia.

## [X]

LABASTIDA *palidece, va a añadir algo más, pero se contiene. Da su anillo a besar a* CARLOTA *y a* MAXIMILIANO, *en vez de hablar, y sale sonriendo ante esta pequeña venganza.*

BAZAINE: En todo caso, señor, me permitiré indicar a Vuestra Majestad que escribiré sobre esta entrevista al Emperador Napoleón.
15 MAXIMILIANO: Os ruego que lo hagáis, señor Mariscal. Quizás el mismo correo pueda llevarle mi versión personal de las cosas.

BAZAINE *se inclina ligeramente ante los monarcas y sale.* CARLOTA *se acerca al trono en cuyo brazo se apoya. Allí permanece, de pie, mirando al vacio, durante la escena siguiente.*

MAXIMILIANO: Padre Fischer, os ruego que penséis en una manera de poner fin a esta situación.
20 MEJÍA: Si Vuestra Majestad me diera permiso, yo tendría mucho gusto en pedir su espada al Mariscal Bazaine.
MAXIMILIANO: No, general. Hay que evitar la desunión en nuestras filas.
PADRE FISCHER: Aunque el Mariscal me ha ofendido, autoríceme
25 Vuestra Majestad para conversar con él en privado. Parece como si la presencia de la Emperatriz y la vuestra propia, sire, lo exasperaran siempre. Procede groseramente por no

sé qué sentimiento de humillación, porque cree que así se pone a la altura. Es una especie de ... No encuentro la palabra precisa. (*Piensa*). Creo que no la hay. En todo caso, Majestad, no hay que precipitar la enemistad de Francia. El Mariscal es un hombre con intereses humanos. Permitidme ... 5

MAXIMILIANO (*Cansado*): Habladle, Padre. Gracias.

*El* PADRE FISCHER *sale después de saludar.*

MAXIMILIANO: General Mejía, sois un hombre leal.

MEJÍA: Gracias, señor. Quisiera poder hacer algo más. Quizá si enviáramos a Napoleón un embajador de confianza, un hombre hábil ... 10

MAXIMILIANO: Se necesitaría vuestra lealtad ...

MEJÍA (*Sonriendo*): El indio es cazurro y es valiente, pero no es diplomático.

MAXIMILIANO (*Pensativo*): De confianza ... Gracias otra vez, General. (MEJÍA *se inclina y va hacia la puerta*). Blasio. (BLASIO *se acerca*). Hoy no trabajaremos en mis memorias. (BLASIO *se inclina y se dirige a la puerta*). Y, Blasio ... (BLASIO *se vuelve.* MAXIMILIANO duda). 15

BLASIO: ¿Sí, Majestad? 20

MAXIMILIANO: Y omitiremos esta conversación de ellas. Id, amigos míos.

BLASIO: Comprendo, sire.

MEJÍA (*Desde la puerta*): Majestad, permitidme desafiar al Mariscal entonces. No puedo soportar su insolencia para con el Emperador. 25

MAXIMILIANO: No, Mejía, reservad vuestra vida y vuestro valor para el imperio.

MEJÍA *suspira, se inclina y sale.* BLASIO *lo imita. Una vez solos,* MAXIMILIANO *y* CARLOTA *se miran. El va hacia ella.*

MAXIMILIANO: ¿He hecho bien? ¿He hecho mal, Carla mía? Los mexicanos me odiarán cuando yo quería que me amaran. ¡Oh, si sólo me atreviera yo a deshacer lo hecho! Pero me siento inerte, perdido en un bosque de voces que me dan vértigo. Nadie me dice la verdad. Sí, quizá Bazaine. 30

CARLOTA: Ese bajo animal.

MAXIMILIANO: ¿He hecho bien? ¿He hecho mal, Carlota? Dímelo tú—necesito oírlo de tus labios. Tu voz es la única que suena clara y limpia en mí. ¡Dímelo!

CARLOTA: Has hecho lo que tenías que hacer, Max. Para gobernar, para conservar un imperio, hay que hacer esas cosas. No me preocupa tanto eso como la insolencia desbocada de ese cargador, soldado de fortuna, detestable palurdo. Ya sabía yo que Napoleón no haría bien las cosas, pero nunca creí que nos infligiera la humillación de este hombre repulsivo y vil.

MAXIMILIANO: ¿Por qué hablas así, Carla, por qué?

CARLOTA: Detesto a Bazaine—me estremezco a su sola presencia, como si estuviera cubierto de escamas o de gusanos.

MAXIMILIANO: Pero yo he hecho lo que tenía que hacer, dices. Y yo no lo sé y no sé cuándo sabré si eso es verdad. No traía más que amor, no buscaba más que amor. Ahora encuentro la muerte.

CARLOTA: La muerte es la otra cara del amor también, Max. Era preciso defendernos. Tu amor lo han pagado con odio y con sangre. ¿No te das cuenta? Nos matarían si pudieran.

MAXIMILIANO: Cuando llegamos aquí, aun antes de llegar, cuando el nombre de México sonaba mágicamente en mis oídos, sentí que había habido un error original en mi vida—que no pertenecía yo a Europa, sino a México. El aire transparente, el cielo azul, las nubes increíbles me envolvieron, y me di cuenta de que era yo mexicano, de que no podía yo ser más que mexicano. Y ahora se matará en mi nombre—quizá por eso. "Por orden de Maximiliano matarás." "Por orden de Maximiliano serás muerto." Me siento extranjero por primera vez y es horrible, Carlota. Mejía hablaba de un embajador de confianza. Y yo busqué entonces mi confianza de antes y no la encontré ya en mi alma. Estamos solos, Carlota, entre gentes que sólo matarán o morirán por nosotros.

CARLOTA: Yo siento esa soledad como tú—más que tú. Me mato trabajando para olvidar que a ti te han amado las mujeres.

MAXIMILIANO: Carlota, ¿cómo puedes ahora ...?

CARLOTA: No siento celos, Max—no hablo por eso. He dejado de ser mujer para no ser ya más que emperatriz. Es lo único que me queda.

MAXIMILIANO: ¿No me amas ya?

CARLOTA: Me acuerdo siempre de nuestra primera noche en México, cuando nos fuimos cogidos de la mano a caminar por el bosque—nuestra última noche de amantes. Ese recuerdo llena mi vida de mujer y te amo siempre. Pero el poder ha cubierto mi cuerpo como una enredadera, y no me deja salir ya, y si me moviera yo, me estrangularía. No puedo perder el poder. Tenemos que hacer algo, Max. Napoleón nos ahoga con la mano de ese insolente Bazaine con algún objeto. Cuando nos haya hecho sentir toda su fuerza, nos pedirá algo, y si no se lo damos se llevará a su ejército y nos dejará solos y perdidos aquí. Hay que impedir eso de algún modo.

MAXIMILIANO: ¿Qué piensas tú?

CARLOTA: Tu familia no quiere mucho a Napoleón desde Solferino.[29] Si explotas eso con habilidad, Austria puede ayudarnos.

MAXIMILIANO: Tienes razón. Escribiré a Francisco-José, a mi madre.[30] Pero tú sabes que mi familia ...

CARLOTA: No vas a explotar ahora sentimientos de familia, Max, sino a tocar resortes políticos, a crear intereses. Tampoco a Bismarck le gusta Napoleón—lo detesta y lo teme, y lo ve crecer con inquietud.[31] Estoy segura de que haría cualquier cosa contra él. Pero hay que ser hábiles. Yo recurriré a Leopoldo, aunque no es muy fuerte ni muy rico. ¡Si mi padre viviera aún! Pero no caeremos, Max. No caeremos. Yo haré lo que sea.

MAXIMILIANO: ¿Pero, no es aquí más bien donde habría que buscar apoyo y voluntades? Ni los austríacos, ni los alemanes ni los belgas nos darían tanta ayuda como un gesto de Juárez.

CARLOTA: El indio errante, el presidente sin república que nos mata soldados en el Norte. No, Max. Ese es el peor enemigo.

MAXIMILIANO: ¡Quién sabe! Carlota ... he vuelto a escribirle.

CARLOTA: ¿A quién?

MAXIMILIANO: A Juárez. Lo haría yo primer ministro y gobernaríamos bien los dos.

CARLOTA: ¡Estás loco, Max! Has perdido el sentido de todo. El imperio es para ti y para mí, nada más. Seríamos los esclavos
5 de Juárez. Lo destruiremos, te lo juro. Podemos ... eso es. Mandemos a alguien que acabe con él.

MAXIMILIANO (*Dolorosamente*): ¡Carlota!

CARLOTA: ¿Qué es un asesinato político para salvar un imperio? ¡Max, Max! Vuelve en ti, piensa en la lucha. ¿O prefieres
10 abdicar, convertirte en el hazmerreír de Europa y de América, en la burla de tu madre y de tu hermano; ir, destronado, de ciudad en ciudad, para que todo el mundo nos tenga compasión y nos evite? No puedes pensarlo siquiera.

MAXIMILIANO: No lo he pensado, Carlota. Pero he pensado en
15 morir: sería la única forma de salvar mi causa.

CARLOTA: ¿En morir? (*Muy pausada, con voz blanca*). Yo tendría que morir contigo entonces. No me da miedo. (*Reacciona*). Pero es otra forma de abdicar, otra forma de huir, Maximiliano.

20 MAXIMILIANO: Tienes razón.

CARLOTA: No tenemos un hijo que dé su vida a la causa por la que tú darías tu muerte.

MAXIMILIANO *pasea pensativo.* CARLOTA *se sienta en el trono y reflexiona.*

CARLOTA: Victoria es demasiado codiciosa y no nos quiere; pero con los ingleses siempre se puede tratar de negocios. Sería
25 bueno enviar a alguien, ofrecer alguna concesión ...

MAXIMILIANO, *de pie junto a la mesa, no responde.*

CARLOTA: Max—(*El se vuelve lentamente*). ¿En qué piensas?

MAXIMILIANO: En ti y en mí. Hablamos de política, hacemos combinaciones, reñimos, como si el poder nos separara.

CARLOTA: No digas eso, ¡por favor! Ven aquí, Max. (*El se acerca*
30 *al trono. Ella le toma las manos*). Esta crisis pasará pronto, y cuando haya pasado nos reuniremos otra vez como antes, como lo que éramos.

MAXIMILIANO (*Con una apagada sonrisa*): ¿Una cita en el bosque mientras el imperio arde?

CARLOTA (*Suavemente*): Eso es, Max. Una cita en el bosque, dentro de muy poco tiempo. Ahora hay que luchar, eso es todo—y hay que desconfiar—y hay que matar.

MAXIMILIANO *se deja caer en las gradas del trono y se cubre la cara con las manos.*

MAXIMILIANO: "¡Por orden del Emperador!"

CARLOTA *baja del trono, se sienta a su lado en las gradas y le acaricia los cabellos.*

CARLOTA: ¡Niño! (*Lo abraza*). 5

MAXIMILIANO *solloza. Las luces de las velas se extinguen, una a una, sobre las pobres figuras silenciosas y confundidas en las gradas del trono.*

OSCURO

# ESCENA SEGUNDA

*IZQUIERDA*
*Boudoir de Carlota en el castillo de Chapultepec, 7 de julio, 1866.*

## [XI]

*En la oscuridad se escucha:*

LA VOZ DE CARLOTA: Entonces vino la última noche. Luces. ¿Dónde están las luces? La última noche.

*Se enciende una bujía en el salón izquierdo. Es el boudoir de* CARLOTA. *Hay un* secrétaire, *un sillón, una otomana y cortinas. Es una doncella quien enciende las luces. Permanece de espaldas mientras lo hace y sale por la segunda puerta izquierda, apartando la cortina. Se oye afuera, por la primera puerta:*

LA VOZ DE MAXIMILIANO: Carlota. ¡Carlota!

MAXIMILIANO *entreabre la puerta y entra. Se acerca al* secrétaire *y toma un sobre cerrado que hay en él. Lo mira pensativamente y lo deja otra vez en el mueble. Pasea, pensativo. Va al fondo y llama de nuevo.*

MAXIMILIANO: ¡Carlota! ¿Estás allí?
5 LA VOZ DE CARLOTA: ¿Eres tú? Un instante, Max.
MAXIMILIANO: Te lo ruego.

MAXIMILIANO *se abandona en la otomana. Tiene aspecto de gran fatiga. Su voz es opaca.* CARLOTA *entra al cabo de un momento, cubierta con un chal o una manteleta.*

CARLOTA: ¿Qué ocurre, Max?

MAXIMILIANO: Es preciso que hablemos cuanto antes con Bazaine. (CARLOTA *hace un gesto negativo, lleno de desdén*). Es preciso, Carlota. Tiene algo malo para nosotros. ¿Me permites que lo haga entrar aquí? 5

CARLOTA: ¿Aquí? ¡Oh, no, Max, por favor!

MAXIMILIANO: Es preciso que nadie nos oiga, te lo suplico.

CARLOTA (*Dominándose*): Bien, si es necesario ... (*Va al* secrétaire *y toma de él el sobre*). Max ... escribo otra vez a mi hermano Leopoldo.[32] 10

MAXIMILIANO: Gracias, Carlota.

*Se dirige a la primera puerta izquierda y llama.*

MAXIMILIANO: Pasad, señor Mariscal.

BAZAINE *entra. Su saludo a* CARLOTA *es más profundo, pero parece más irónico esta vez.*

MAXIMILIANO: Os escuchamos.

BAZAINE: Nadie podrá oírnos, ¿no es cierto? (MAXIMILIANO *no contesta*). ¿No nos oirá nadie, Majestad? 15

MAXIMILIANO: Podéis hablar libremente.

BAZAINE (*Después de una pausa deliberada*): Y bien, tengo noticias importantes para Vuestras Majestades—noticias de Francia. (*Se detiene deliberadamente,* MAXIMILIANO *permanece inconmovible,* CARLOTA *espera sin moverse*). He recibido orden del Emperador Napoleón de partir con mis tropas. 20

CARLOTA *se yergue;* MAXIMILIANO *sonríe.*

MAXIMILIANO: ¿Y para eso tanto misterio, Mariscal? Hace mucho que esperaba oír esa noticia. Veo que Napoleón se ha acordado al fin de nosotros ... 25

CARLOTA (*Interrumpiéndolo*): En la única forma en que podía acordarse.

MAXIMILIANO: ¿Habéis esparcido ya tan misteriosa noticia en el palacio, señor Mariscal?

BAZAINE: Hasta el momento nadie sabe nada fuera de nosotros, sire. 30

MAXIMILIANO: En ese caso debéis de tener algo más que decirnos.
BAZAINE: Vuestra Majestad ha acertado.

*Espera la pregunta, que no viene.* MAXIMILIANO *se pule dos o tres veces las uñas de la mano derecha en la palma de la izquierda.* BAZAINE *espera, sonriendo.* CARLOTA *lo mira y se adelanta hacia él.*

CARLOTA: ¿Qué es lo que pide Napoleón ahora?
BAZAINE: Como sea, señora, no podrá negarse que sois una mujer
5 práctica. Señora, el imperio se hunde sin remedio. Lo que os dije cuando Su Majestad firmó el decreto empieza a realizarse.
MAXIMILIANO: Olvidáis, señor Mariscal, que asegurasteis entonces que ese decreto nos salvaría.
10 BAZAINE: Vuestra Majestad me recomendó moderación.
CARLOTA: Si no estuvierais ante el Emperador de México, a quien debéis respeto, Mariscal, creería que estáis jugando a no sé qué siniestro juego.
MAXIMILIANO: Las pruebas de vuestra moderación me son bien
15 conocidas, señor Mariscal. Decid pronto lo que tengáis que decir.
BAZAINE: Si mis soldados dejan el país, señor, las hordas de Juárez no tardarán en tomar la capital. Pero antes de que eso ocurra, las turbas de descamisados y de hambrientos asalta-
20 rán el palacio y el castillo, y las vidas de Vuestras Majestades se encontrarán en un serio peligro.
MAXIMILIANO: ¿No pensáis que nos hacéis sentir miedo?
BAZAINE: Conozco el valor personal de Vuestras Majestades. Sin duda que sabréis hacer frente al peligro, pero eso no os
25 salvará. Sabéis de sobra que vuestros soldados no sirven. Y no hablo de Miramón, de Mejía o de Márquez, sino del ejército, que no cuenta, porque en este país parece que no hay más que generales. Si salváis la vida, señor, tendréis que hacer frente a la deshonra, a la prisión; o podréis huir,
30 y entonces—perdonad mi franqueza de soldado—tendréis que hacer frente al ridículo. Claro que yo, personalmente, os aconsejo que abdiquéis. Pienso que vale más un archiduque vivo que un emperador muerto. Pero yo no soy más que un plebeyo.

CARLOTA: Decid de una vez lo que pide Napoleón.

BAZAINE: Yo he tenido el honor de poner a Vuestras Majestades al corriente de los deseos del Emperador. Un pedazo de tierra mexicana no vale los cientos de millones de francos que México cuesta a Francia, pero sí la vida y el triunfo de Vuestras Majestades. 5

MAXIMILIANO: ¿Cree Napoleón que conseguirá amenazándome lo que no consiguió con halagos, con trampas y mentiras? Conozco sus deseos y hace ya tiempo que veo sus intenciones con claridad. El glorioso ejército francés fracasó en sus 10 propósitos en 1862, y Napoleón pensó entonces que podía mandar a México, en calidad de agente de tierras, a un príncipe de Habsburgo.

CARLOTA: Sacar las castañas con la mano del gato. (*A* MAXIMILIANO, *graciosamente*). Perdonad mi expresión, señor, pero 15 no se puede hablar de Napoleón sin ser vulgar.

MAXIMILIANO: Decid a Napoleón, señor Mariscal, que se equivocó de hombre. Que mientras yo viva no tendrá un milímetro de tierra mexicana.

BAZAINE: Si ésa es la última palabra de Vuestra Majestad, me re- 20 tiraré con mi ejército previo el pago de las soldadas vencidas, que Francia no tiene por qué pagar, señor.

MAXIMILIANO: No escapa a vuestra malicia, Mariscal, que estáis en México, y que el Emperador de México tiene todavía la autoridad necesaria para pediros vuestra espada y some- 25 teros a un proceso.

BAZAINE: ¿Declararía Vuestra Majestad la guerra a Francia de ese modo? No tenéis dinero ni hombres, señor. Y si me pidierais mi espada, como decís, aparte de que yo no os la entregaría, no serían las hordas juaristas sino el ejército francés el que 30 tomaría por asalto palacio y castillo.

MAXIMILIANO: Exceso de confianza. ¿No sabéis que vuestros hombres os detestan ya? No pueden admirar a un mariscal de Francia vencido siempre por hordas de facciosos. Y sería milagrosa cosa: si los franceses nos atacaran, México en- 35 tero estaría de mi lado.

BAZAINE: Hagamos la prueba, señor.

CARLOTA: Conocéis mal a Napoleón, Mariscal. No movería un

dedo por un soldado de vuestra clase, que no ha sabido dominar una revuelta de descamisados mexicanos.

BAZAINE (*Herido*): Señora, Vuestra Majestad olvida que hice la guerra de la Crimea y que soy Mariscal de Francia.[33] Ya
5 os dije una vez que tenía órdenes, ¿no es cierto? ¿Creéis que no hubiera podido hacer polvo a los facciosos y colgar a Juárez de un árbol hace mucho tiempo?

MAXIMILIANO: Vos lo decís.

BAZAINE: Pero Napoleón III es un gran político. Me dijo: "Po-
10 nedles el triunfo a la vista, pero no se lo deis si no es en cambio del engrandecimiento de Francia." Me dijo: "Hacedles entrever la derrota, pero no la dejéis consumarse a menos que sea necesario para Francia." Y ahora es necesario para Francia, Majestad.

15 MAXIMILIANO: Pongo en duda eso, y añadiré algo más, Mariscal. Os diré que es difícil vencer a soldados que, como los de Juárez, defienden desesperadamente a su patria. Su valor os escapa porque no sois más que el invasor.

BAZAINE: ¡Sire!

20 CARLOTA: Eso es lo que yo sentía en su presencia, Maximiliano. El estremecimiento, la repulsión invencible de la traición.

BAZAINE: Yo soy leal a mi Emperador.

CARLOTA: Dejaréis de serlo un día, Mariscal. Lo presiento. Sois un hombre funesto. Traidor a uno, traidor a todos.

25 BAZAINE (*Colérico*): ¡Señora!

MAXIMILIANO (*Enérgicamente, con grandeza*): Esperaréis mi venia, señor Mariscal, para proceder al retiro de vuestras tropas. Podéis retiraros ahora.

BAZAINE: Esa orden, señor, se opone con la que he recibido del Em-
30 perador de Francia.

MAXIMILIANO: Sabed que el ejército que me envía Francisco-José llegará de un momento a otro. Servíos hacer vuestros arreglos y esperad mis noticias.

BAZAINE (*Desmontado*): ¿Un ejército austríaco? Pero eso sería la
35 guerra con Francia, contra Napoleón.

MAXIMILIANO: Creíais saberlo todo, ¿no es verdad?, como Napoleón creía dominarlo todo. La guerra contra él tenía que venir de todos modos, desencadenada por su ambición y por su hipocresía, y está muy lejos de ser el amo de Europa.

(Bazaine *quiere hablar*). Se os odia mucho en México, señor Mariscal: no publiquéis demasiado vuestra partida—podría atentarse contra vos.

Bazaine: ¿Debo sentir miedo, Majestad?

Maximiliano: Recordad solamente que, para vos, vale más un mercenario vivo que un mariscal muerto. 5

Carlota: Buenas noches, señor Mariscal.

> Bazaine *duda. Está tan furioso que podría matar. Con un esfuerzo, se inclina tiesamente ante* Maximiliano, *luego ante* Carlota, *y sale.*

## [XII]

Carlota (*Corriendo hacia Maximiliano*): ¡Estuviste magnífico, Max! ¿Es cierto, dime, es cierto?

Maximiliano: ¿Qué? 10

Carlota: El ejército de tu hermano. ¿Viene en camino? ¿Llegará pronto?

Maximiliano (*Lentamente, con amarga ironía*): Cuando un monarca necesita apoyar su trono sobre bayonetas extranjeras, eso quiere decir que no cuenta con el amor de su pueblo. 15 En un caso semejante, hay que abdicar o que morir.

Carlota: ¿Qué es lo que dices?

Maximiliano: Repito, más o menos, las palabras de Francisco-José. Estamos perdidos, Carlota, abandonados por el mundo entero. 20

Carlota: ¡No!

Maximiliano: Toda Europa odia a Napoleón, pero nadie se atreve aún contra él—ni los franceses. Tengo otros informes que me prueban que no valemos la pena para nadie allá. Si Austria nos enviara soldados—Bazaine lo dijo—sería la 25 guerra con Francia; si Inglaterra nos prestara dinero, sería en cambio de tierras, y yo no puedo vender la tierra de México. Además, eso sería la guerra con los Estados Unidos. Te digo que es el fin.

Carlota: ¡No, Max! 30

Maximiliano: Y ahora es tarde ya para buscar ayuda aquí, para atraer a Juárez o a Díaz a nuestro partido—o para destruirlos.[34] ¡Y yo que sentía que mi destino era proteger, salvar a Juárez del odio de México! ¿Por qué salimos de Miramar, Carlota? Por un imperio. Por un espejismo de tres años, por un sueño. Y ahora no podemos irnos de aquí, porque eso sería peor que todo. Ni el ridículo ni la abdicación ni la cobardía de la fuga me detienen. Estoy clavado en esta tierra, y arrancarme de ella sería peor que morir, porque tiene algo virginal y terrible, porque en ella hay amor y hay odio verdaderos, vivos. Mejor morir en México que vivir en Europa como un archiduque de Strauss. Pero tú tienes que salvarte.

CARLOTA: ¡No, Max, no!

MAXIMILIANO: Tenías razón tú, como siempre: aquí está nuestro destino.

CARLOTA (*Creciendo como fuego mientras habla*): Nuestro destino está aquí, Max, pero es otro. Eramos la pareja más hermosa y más feliz de Europa. Seremos los emperadores más felices del mundo. Max, yo iré a Europa.

MAXIMILIANO: ¿Qué dices?

CARLOTA: Iré a Europa mañana mismo; sé que hay un barco. Veré a ese advenedizo Napoleón, lo obligaré a cumplir. Y si no quiere, veré a Bismarck y a Victoria; veré a tu hermano y a tu madre; veré a Pío IX; buscaré un concordato y una alianza, intrigaré; desencadenaré sobre Napoleón la furia y el aborrecimiento de toda Europa—interrumpiré el vals en que vive con los cañones de Alemania. Es fácil, Max, ¡es fácil! Les prometeré a todos el tesoro de México, y cuando seamos fuertes, cuando estemos seguros, ¡qué vengan a reclamar su parte! Sabremos cómo recibirlos. Haré luchar a Dios contra el diablo o al diablo contra Dios, pero venceremos. No perderemos nuestro imperio, Max, ¡te lo juro! Seré sutil y encantadora, tocaré todos los resortes, jugaré a todas las cartas. Mañana mismo, Max, mañana mismo. No tenemos tiempo. ¡No tenemos tiempo que perder! Triunfaremos: ¿no dices tú que el bueno es más fuerte que el malo?

MAXIMILIANO: No, amor mío, no te irás. ¿Qué haría yo sin ti? Es preciso no perder la cabeza. Todavía hay mucho que intentar en México, y lo intentaré todo. Te ofrecí un imperio y he de conservártelo, y México tendrá que abrir los ojos a mi amor.

CARLOTA: ¡Iluso, iluso, iluso! Nuestro mal no está en México, está en Europa, en Francia. Nuestro mal es Napoleón, y hay que acabar con él.

MAXIMILIANO: ¡No te vayas, Carlota!

CARLOTA: Tú defenderás nuestro imperio aquí; yo lo defenderé allí. No podemos perder. 5

MAXIMILIANO *se levanta, pasea, reflexiona mientras* CARLOTA *habla.*

CARLOTA: Ya sé que aquí parece una locura, un sueño, pero lo mismo nos pareció el imperio cuando estábamos allí. Y no tomará mucho tiempo lograrlo. Si es preciso, provocaré una revolución en Francia—¡yo, una princesa de Sajonia-Coburgo! Es fantástico, Max, te digo que es fantástico. Los Borbones siguen ambicionando el trono, y si ellos no quieren, allí están Thiers y Lamartine, Gambetta y Víctor Hugo.[35] ¡Conspiraré con ellos y Napoleón caerá! 10

MAXIMILIANO (*Suavemente*): Carlota. 15

CARLOTA (*Saliendo de su sueño de furia*): ¿Sí?

MAXIMILIANO: No digas locuras, amor mío.

CARLOTA: ¡Locuras! Ahora veo que no confías en mí. Te han dicho que eres débil y que yo te manejo a mi capricho. Te han dicho que el odio del pueblo no se dirige contra ti sino contra mí, que te impongo mi voluntad, que soy yo quien gobierna. Te lo han dicho, ¿no es cierto? 20

MAXIMILIANO: Nadie sabe lo que hay entre nosotros.

CARLOTA: Hace mucho que lo sé, Max. Dicen que te dejo en libertad de amar a otras para que tú me dejes en libertad de gobernar. Soy ambiciosa y soy estéril, soy tu ángel malo. Te digo que lo sé todo. 25

MAXIMILIANO: Te prohibo que hables así, Carlota.

CARLOTA: No quieres que parezca que yo voy a servirte de agente en Europa, y prefieres que perezcamos aquí mientras Napoleón baila y festeja. Ya no tienes confianza en mí, Max. Me duele muy hondo saber, sentir que desconfías de mí. 30

MAXIMILIANO: No, amor mío, no es eso. Lo que hay entre tú y yo es sólo nuestro. Tengo miedo a que te forjes ilusiones excesivas, a que sufras una humillación en Europa. ¿No ves 35 en la actitud de Bazaine un indicio claro de que Europa nos desprecia y no quiere nada con nosotros?

CARLOTA: Bazaine es un servil y un traidor. No, Max, no me forjo ilusiones—no es imaginación ni es locura. Sé que ésa es la
5 única forma de triunfar, y tiene que ayudarme. ¿O prefieres que nos quedemos aquí los dos, inertes, vencidos de antemano, y que caigamos como Luis XVI y María Antonieta? [36]

MAXIMILIANO (*Reaccionando violentamente*): No. Tienes razón, Carlota. Siempre tienes razón. Es preciso que partas. Confío
10 en ti, y me devuelves mi esperanza.

CARLOTA (*Dubitativa de pronto*): ¿Estás seguro?

MAXIMILIANO: Tienes razón, claro. Es lo que hay que hacer. Pero verás a Napoleón antes que a nadie. No sabemos si Bazaine ha estado jugando con cartas dobles. Si Napoleón duda o
15 niega, verás a Su Santidad. Si el Papa aceptara el concordato ...

CARLOTA (*Tiernamente*): Y así dicen que soy yo la que gobierna. (*Seria de pronto*): Max, ¿estás completamente seguro?

MAXIMILIANO (*Mintiendo*): He pasado semanas preguntándome a
20 quién podría yo enviar a Europa. Perdóname por no haber pensado antes en ti.

CARLOTA: Júrame que estás seguro, Max.

MAXIMILIANO: ¿Es preciso? (*Ella asiente*). En ese caso, te lo juro, amor mío.

25 CARLOTA: ¿Te cuidarás en mi ausencia? No quiero que te expongas demasiado en los combates.

MAXIMILIANO: Me cuidaré por ti y por México.

CARLOTA: ¿Y me amarás un poco mientras esté ausente?

MAXIMILIANO: Nunca he amado a nadie más que a ti.

30 CARLOTA: Entonces, esos devaneos de que te acusan ... Cuernavaca ...

MAXIMILIANO: Carlota.

CARLOTA: Perdóname, no debí decir eso. Es vulgar y estúpido. Max, ¿sabes lo que siento?

35 MAXIMILIANO: ¿Qué?

CARLOTA: Que ha llegado la hora de nuestra cita en el bosque. Ya no hay nada que nos separe—volvemos a estar tan cerca como al principio, mi amor. (MAXIMILIANO *mira su reloj*). ¿Qué pasa?

MAXIMILIANO: Tengo dos o tres cosas urgentes—órdenes para mañana, instrucciones especiales para impedir que Bazaine desmoralice a nuestra gente con la noticia de su partida; el dinero para sus soldados. Tendrás que perdonarme, Carlota. 5

CARLOTA: No podría. Estaré esperándote, Max. Dentro de media hora, en el bosque.

MAXIMILIANO: Dentro de media hora, amor mío.

*Besa la mano de* CARLOTA, *profundamente. Luego la atrae hacia él. Se miran a los ojos un momento.*

MAXIMILIANO: ¡Carlota!

CARLOTA: ¿Por qué me miras así, Max? Tienes los ojos tan llenos 10 de tristeza que me dan miedo. ¿Qué te pasa?

MAXIMILIANO (*Desprendiéndose*): Media hora. ¿No es demasiado esperar? Carlota ...

CARLOTA: ¿Qué?

MAXIMILIANO: No quería decírtelo. Tengo que dar órdenes de 15 campaña a mis generales. La situación es grave. Quizás pasaré toda la noche en esto. Tú tienes que preparar tu viaje ...

CARLOTA: Sí. Estamos condenados, ya lo sé.

MAXIMILIANO: ¡No lo digas así!

CARLOTA: Nos veremos en el bosque, Max; pero a mi regreso. Sólo 20 entonces podremos volver a ser nosotros mismos.

MAXIMILIANO: A tu regreso ...

CARLOTA: En el bosque, Max.

*Sale por el fondo, no sin volverse a dirigir una sonrisa melancólica a* MAXIMILIANO, *que la sigue con la vista. Cuando ha desaparecido la figura de* CARLOTA, MAXIMILIANO *toma el candelabro y sale por la segunda puerta izquierda.*

OSCURO

# ESCENA TERCERA

*DERECHA*
*Salón en el palacio de Saint-Cloud,*[37] *agosto de 1866.*

## [XIII]

LA VOZ DE CARLOTA: Ahora sé por qué Max me hizo ese juramento entonces.

*Un lacayo penetra en el salón de la derecha llevando un gran candelabro con velas encendidas, y desaparece. La luz, sin embargo, es diurna. Entra* CARLOTA. *Tras ella, el* DUQUE.

CARLOTA: Creía encontrar aquí al Emperador.
DUQUE: Su Majestad vendrá en seguida, señora. Si Vuestra Majes-
5 tad quiere tomarse la molestia de sentarse un momento ...
CARLOTA: Estoy tan cansada que no podría sentarme, señor duque.
DUQUE: ¿Vuestra Majestad tuvo un viaje agradable?
CARLOTA: Largo. Un viaje largo.
DUQUE: Debo decir a Vuestra Majestad que la sorpresa del Empe-
10 rador Napoleón y de la Emperatriz Eugenia no reconoce límite. Están fuera de sí del gusto de tener a Vuestra Majestad con ellos, y cuentan con organizar un baile en vuestro honor, aunque yo no debía decirlo.
CARLOTA (*Impaciente*): Decidme otra cosa, señor duque. ¿Va a per-
15 mitirse Napoleón el lujo de hacerme esperar?
DUQUE (*Desconcertado pero impertinente*): Dios mío, señora, si así fuera, sería con el más profundo pesar por parte de su Majestad. El Emperador tiene graves quehaceres y preocupaciones.
20 CARLOTA: Pero seguramente ...

*Se oye, fuera de escena, una risa prolongada.*

CARLOTA: ¿Quién ríe?
DUQUE: El Emperador, señora.
LA VOZ DE NAPOLEÓN: ¿Y sabéis quién estaba detrás de la cortina? ¡El Arzobispo de París en persona!

*Se escucha de nuevo su risa, a la que hace eco una risa de mujer.* CARLOTA *se yergue y se vuelve hacia la puerta, como una estatua. Un instante después entra* NAPOLEÓN III, *riendo aún.*

NAPOLEÓN: ¡Señora! (*Saluda profundamente y besa la mano de* CARLOTA). La visita de Vuestra Majestad es una sorpresa magnífica, magnífica. Lucís espléndidamente, señora, tan bella como siempre ... Felices los mexicanos, que os ven más a menudo. 5

CARLOTA: Sire, he venido desde México para ... 10

NAPOLEÓN: Os ruego que os sentéis, querida prima. ¡Qué sorpresa magnífica! La Emperatriz vendrá en seguida. Nos sorprendéis en plenos preparativos de un baile que ahora será para vos, si tenéis la gentileza de permitirlo. La pobre Eugenia está loca de gusto desde que os vió en París. ¿Cómo habéis dejado a nuestro querido primo Max? *Quel bougre de prince!* [38] No le envidio tanto el imperio como la vista de las mexicanas. Bazaine me cuenta en sus cartas que son deliciosas. ¿Os sentís mal? 15

CARLOTA: Quisiera hablar con Vuestra Majestad a solas, como lo indiqué a la emperatriz. También le dije que estaba dispuesta a hacer irrupción aquí, si era preciso. 20

NAPOLEÓN: Por supuesto, si lo deseáis. Mi querido duque ...
DUQUE (*Inclinándose*): Con la venia de Vuestras Majestades ...

EUGENIA DE MONTIJO *entra en ese momento. En su traje, en su sonrisa, palpita toda la frivolidad de su imperio. Se dirige a* CARLOTA *con un tumulto de gasas y volantes y encajería.*

EUGENIA: ¡Querida Carlota! (*La besa en ambas mejillas*). ¡Qué belleza siempre, y qué cutis! ¿Qué hacéis para conservaros tan linda? ¿Habéis visto, señor? 25

NAPOLEÓN: Es todo lo que he podido hacer, señora: ver y admirar. (*Hace disimuladamente seña al* DUQUE *de quedarse*).

EUGENIA: Me siento feliz de teneros con nosotros. La Emperatriz de México será el sol de nuestro baile.

CARLOTA: Perdonadme, señora. Llevo luto por mi padre, y no he venido a Europa a bailar.[39]

5 EUGENIA: Dadme nuevas noticias de Maximiliano, os lo ruego. ¿Tan hermoso como siempre? Nos acordábamos de él el otro día. Mérimée hizo un concurso de ortografía francesa entre nosotros—ya sabéis que es mi maestro de francés.[40] ¿Y quién creéis que ganó? El príncipe de Metternich, que-

10 rida.[41] Derrotó al Emperador, a Feuillet y a Dumas.[42] Pero no os dejo hablar. ¿Cómo está vuestro esposo?

CARLOTA: Maximiliano se enfrenta con la muerte, señora.

EUGENIA: ¿Qué decís?

CARLOTA (*Exasperada*): Por culpa del Emperador vuestro esposo.

15 NAPOLEÓN: Señora, esa acusación ... No comprendo.

CARLOTA: No, no. He dicho mal. No es culpa vuestra. Es culpa de Bazaine, ese palurdo ...

NAPOLEÓN: Buen soldado.

CARLOTA: Os traicionará un día también a vos, señor. Os ha traicio-

20 nado ya al decirnos que le habíais ordenado tenernos en jaque y retirarse con sus soldados si no accedíamos a vuestras demandas. No puede ser cierto, sire. Fué otra cosa la que nos ofrecisteis.

NAPOLEÓN: Señora, querida prima, en vuestras palabras entreveo

25 una mala inteligencia que es preciso aclarar. Os amamos demasiado, a vos y a vuestro esposo el Emperador, para permitir que una falsa impresión nos separe.

EUGENIA: Por supuesto.

CARLOTA: ¿Ordenasteis o no a Bazaine que se retirara con sus tro-

30 pas?

NAPOLEÓN: A fe mía, señora ...

CARLOTA: Decidme sí o no.

NAPOLEÓN: No escapará a vuestra inteligencia, querida prima, que nos era difícil mantener un cuerpo de ejército en México

35 durante tanto tiempo.

CARLOTA: ¿Y por qué, si lo paga el Emperador de México?

NAPOLEÓN: No hablo de eso, señora. Lo pagaría yo mismo—aunque México nos cuesta ya cerca de novecientos millones de francos—si creyera que servía de algo; pero sé que es superfluo. Si el pueblo mexicano os ama, como yo creo, las tropas francesas son innecesarias. Pero si no os amara, no serían ellas las que os ganarían su amor, aunque me parece una tontería que puedan no amaros.

CARLOTA: Nada de frases, señor. Decidme—¿es cierto que ordenasteis a Bazaine que no acabara con Juárez mientras no os diéramos las tierras y las concesiones que pedíais? 5

NAPOLEÓN: ¿Os dijo eso Bazaine? Es un buen soldado, pero un pobre diplomático.

EUGENIA: Vamos. Conocéis demasiado al Emperador para creerlo capaz de una cosa semejante, querida. 10

CARLOTA: Tenéis razón. En ese caso, sire, os pediré una cosa.

NAPOLEÓN: Pedidme el imperio de Francia, señora. Os lo daré entero si es para contribuir a su grandeza.

CARLOTA: Os pido solamente que no privéis de apoyo a Maximiliano. Hacéis bien retirando a Bazaine. Ha robado, saqueado, matado sin escrúpulo—ha hecho que los mexicanos odien a Francia, a la que adoraban antes. Enviad otro jefe, reforzad las tropas, levantad un empréstito que os será reembolsado íntegramente. Cumplid la palabra que nos disteis. 15 20

NAPOLEÓN: Señora, tengo la impresión de haberla cumplido hasta el límite. ¿No es cierto, Eugenia? ¿Y qué recibo en cambio? El odio de México para Francia. Me parece injusto.

EUGENIA: Calmaos, querida mía, calmaos. 25

CARLOTA: Me he expresado mal sin duda. Ese viaje interminable puso a prueba mis nervios. Los mexicanos amarán a Francia si enviáis a un hombre honrado y justo, si hacéis lo que os pido.

NAPOLEÓN: En Francia, que es el país del amor, os dirán, señora, que el amor entretiene, pero que no alimenta. Bazaine os habrá explicado cuáles eran mis deseos—qué esperaba yo a cambio de mi ayuda a vuestro imperio. 30

## [XIV]

CARLOTA: ¿Ignora Vuestra Majestad que Maximiliano juró conservar y defender la integridad del territorio de México? 35

NAPOLEÓN: Estamos entre monarcas, querida prima. Yo también he jurado cosas ... Son los lugares comunes de todo gobierno.

CARLOTA: ¡Ah! Pero vos ... Vos nos habíais hecho otras promesas, a nosotros también. Mirad: tengo aquí extractos de vues- 5 tras cartas—vos las escribisteis, vos las firmasteis, ¿no es eso? (*Saca de su bolso varios papeles que tiende, uno tras otro, a* NAPOLEÓN, *quien los lee mordisqueándose el bigote*).

NAPOLEÓN (*Interrumpiéndola*): Echo de menos a Morny, señora.[43] Si no hubiera tenido la humorada de morirse hace un año, 10 él os explicaría la cosa mucho mejor que yo. Trataré de hacerlo, sin embargo. Tenéis un gran imperio, pero os faltan dinero, armas y hombres. ¿Qué importan unos palmos de tierra más o menos en esa extensión territorial? Francia os ayudaría a civilizar a México. Max no es un ingenuo— 15 no puede haber esperado un apoyo gratuito de Francia. Y si él lo esperaba, vos sois demasiado inteligente para que os escapara eso. ¿Comprendéis ahora?

CARLOTA: Comprendo que no comprendéis lo que os he dicho, señor. Es natural. Max es un Habsburgo, no un Bonaparte. 20 Tiene costumbre de cumplir su palabra.

EUGENIA: ¿Os sentís mal, querida?

NAPOLEÓN: Los hechos contradicen vuestra afirmación, señora. El Bonaparte ha cumplido; el Habsburgo no. Os amamos mucho, pero la política es la política, como decía el Carde- 25 nal Mazarino.[44]

CARLOTA: ¿Queréis asesinarnos entonces?

EUGENIA: ¡Válgame Dios!

NAPOLEÓN: Lejos de mí ese horrible pensamiento, señora. Os amo demasiado para que esa atrocidad ...

30 CARLOTA: Claro. Así hablasteis a la República francesa, y sin embargo os hicisteis coronar emperador.

NAPOLEÓN: Señora, creo que no estáis en vos.

CARLOTA: Abandonaré mi orgullo entonces, si es lo que queréis, y os pediré de rodillas ayuda para Maximiliano. ¡No lo 35 dejéis morir! Vos lo hicisteis entrar en esto. Ayudadlo ahora. ¡Os lo supli ...

*La frase se ahoga en su garganta.* EUGENIA *se acerca a abanicarla con su pañuelo y le pasa la mano por la frente.*

EUGENIA: Estáis ardiendo, Carlota. ¿Por qué no reposáis un poco? Después seguiremos hablando.

NAPOLEÓN: Querido duque, haced traer un vaso de naranjada para Su Majestad, os lo ruego.

*El* DUQUE *se inclina y sale.*

CARLOTA: No, estoy bien, gracias. Os lo suplico, Napoleón: cumplid vuestra palabra. 5

NAPOLEÓN: Señora, querida prima, me hace daño veros así. Eugenia dice bien. Descansad. Os haremos preparar habitaciones en Saint-Cloud o en las Tullerías y hablaremos de todo esto después del baile.[45] Sois demasiado inteligente para 10 que no podamos entendernos.

CARLOTA: Os digo que estoy bien, señor. Vuestra promesa me aliviará más que todo el descanso del mundo.

*El* DUQUE *vuelve, seguido por un criado que lleva una charola con una jarra de cristal, llena de naranjada, y vasos. Deja la charola sobre una mesa y sale. El* DUQUE *llena un vaso que el Emperador toma y ofrece a* CARLOTA.

NAPOLEÓN: Esto os hará sentir mejor, señora. Tomadlo.

CARLOTA *toma el vaso, lo mira, va a llevárselo a los labios, pero lo deja caer de pronto, como asaltada por un pensamiento.*

EUGENIA: Su pulso tiembla. Es preciso que os reposéis, querida. 15

*El* DUQUE *llena otro vaso.* NAPOLEÓN *lo toma, besa la mano de* CARLOTA *y le entrega el vaso, que* CARLOTA *acerca a sus labios y devuelve en seguida.*

CARLOTA: Estoy dispuesta a tratar sobre otra base, sire. Tengo aquí un proyecto. (*Lo saca de su bolso y lo tiende a* NAPOLEÓN). No hablemos de territorio. Max ha jurado conservarlo. Pero hay otros medios. Pensadlo bien, señor, y cumplid vuestras promesas. 20

NAPOLEÓN (*Después de una pausa*): Excusadme. Yo tampoco me siento muy bien. ¿Queréis que os diga la verdad, señora? Estamos rodeados de políticos voraces. Tenemos que fomentar las obras públicas, la agricultura, el comercio, la industria,

5 para subsistir, y tenemos poco dinero. Traicionaría yo a Francia si os diera lo que pedís. ¿Por qué no recurrís al Emperador de Austria y le recordáis que tiene obligaciones de familia para con el bueno de Max? Fué él sobre todo quien lo lanzó a esta aventura, para privarlo de sus derechos a la corona austríaca.

EUGENIA: Naturalmente, lo que Maximiliano debe hacer es salvar su vida, abdicar.

NAPOLEÓN: Que luche, si quiere: admiro a los espíritus de lucha.
10 Pero si las cosas se ponen demasiado difíciles en ese país de salvajes, dejadlo. Ellos serán quienes pierdan. Que abdique Max, como dice Eugenia. Vuestro cubierto estará puesto siempre en las Tullerías.

CARLOTA (*Levantándose*): ¡Canalla!

15 EUGENIA: Carlota, os excitáis en exceso.

CARLOTA: ¿Qué había en ese vaso?

EUGENIA: Sólo un poco de naranjada, querida.

CARLOTA: ¡Oh, mi cabeza! Si no tuviera yo esta jaqueca atroz ...

EUGENIA: Tengo unos polvos de milagro para eso. Voy a daros una
20 dosis, querida. (*Va hacia la puerta*).

CARLOTA: No. No quiero nada de vosotros. ¿Qué había en ese vaso?

NAPOLEÓN: Señora, la Emperatriz os lo ha dicho ya. Un poco de naranjada.

25 EUGENIA: Apenas si la rozasteis con los labios.

NAPOLEÓN *se acerca para reponer sobre los hombros de* CARLOTA *la manteleta, que ha resbalado.*

CARLOTA: No me toquéis. Sois vos, claro, sois vosotros. No es Austria, no son los católicos mexicanos. ¿Cómo no me di cuenta antes? Vosotros sois los culpables de todo.

EUGENIA: Mi querida Carlota.

30 CARLOTA: El y vos con vuestra ambición. ¡Y hay aún quien hable de la mía! Conozco vuestros sueños como si yo los hubiera soñado. Vuestros sueños de pequeña condesa. Os profetizaron que seríais más que reina y sois emperatriz de Francia, pero eso no os basta. Quisierais ser reina de España,
35 emperatriz de México, dueña del mundo entero. Hacer retroceder toda la historia en una sola noche de amor con este

hombre, con este demonio a quien os vendisteis. Vos lo habéis hecho todo. (EUGENIA *hace un movimiento hacia ella*). Lejos de mí—¡lejos! Ahora me doy cuenta. Claro. Estoy envenenada.

EUGENIA: ¡Carlota! 5

NAPOLEÓN: ¡Señora!

CARLOTA: Me habéis envenenado ... Dejadme ya. Ahora me doy cuenta. Veneno—veneno por dondequiera. Veneno por años y años. ¿Qué hace el veneno de Europa en el trono de Francia? Estoy saturada de vuestro veneno. No me toquéis. 10 ¡Advenedizo! Se lo dije bien claro a Max. ¿Qué puede esperarse de un Bonaparte? Veneno—nada más que veneno. Os haré caer del trono, Bonaparte. Cáncer de Europa—veneno de Europa. Veneno de México. Os haré caer. Haré que os derroquen, que os persigan, que os maten, y vuestro 15 nombre será maldito para siempre. ¡Dejadme!

*Se dirige hacia la puerta.*

NAPOLEÓN: Acompañad a Su Majestad, querido duque. Atendedla en todo. Me llena de dolor. Si quiere descansar aquí, alojadla. (*Más bajo*): Alojadla en el ala opuesta, donde no nos moleste. 20

CARLOTA (*Cerca de la puerta*): Veré a Pío IX, veré a Bismarck, a Leopoldo, a Victoria. Pagaréis cara vuestra traición, os lo aseguro.

DUQUE (*Ofreciendo el brazo*): Si Vuestra Majestad se digna concederme el honor. 25

CARLOTA: Apartad. Dejadme. Veneno—veneno—¡maldito!

*Sale, seguida por el* DUQUE. NAPOLEÓN *y* EUGENIA *se miran.*

NAPOLEÓN: No sé qué decir. Es de un mal gusto inconcebible.

EUGENIA: Yo me siento avergonzada. ¡Qué modales absurdos!

NAPOLEÓN: De princesa, querida mía. A mí me ha fastidiado la digestión. 30

EUGENIA: Olvidadla. Tenemos que pensar en el baile de esta noche. ¿Creéis que pueda hacer algo?

NAPOLEÓN: ¿Quién?

EUGENIA: Carlota.

NAPOLEÓN: Oh, no, no. Está loca de atar. *Dommage! avec ce galbe superbe!* [46]

EUGENIA: Decidme, querido, ¿en qué momento preferís el baile español? ¿Al principio o al final?

5 NAPOLEÓN: En cualquier momento. (*Se sirve un vaso de naranjada*). Esa mujer me ha dejado la boca seca. (*Bebe*). En cualquier momento, en cualquier momento. Las bailarinas españolas son deliciosas siempre. (*Dentro de la trivialidad buscada de este diálogo se siente una tensión. El ánimo de*
10 *los emperadores de Francia está perturbado por un amargo, estéril remordimiento*).

OSCURO

# ESCENA CUARTA

*IZQUIERDA*
*Despacho del Papa Pío IX en*
*el Vaticano, 1866.*

## [XV]

*Primeramente vemos que un candelabro con bujías encendidas es instalado en una mesa del salón izquierdo. El* PAPA *estará de espaldas al público todo el tiempo.*

LA VOZ DE CARLOTA (*Mientras son instaladas las luces*): Veneno, Santo Padre, ¡veneno! Veneno de Europa—cáncer de Europa.

*Se hace la luz.*

EL PAPA: Serenaos, hija mía querida. Vuestra causa es noble y piadosa y requiere toda vuestra serenidad. 5

CARLOTA: Hemos sido traicionados, Santo Padre. No sabéis lo que ha sido esta tortura de tres años. Siempre la duda, siempre la incertidumbre. Y Napoleón lo esperaba todo entre tanto. Esperaba que Maximiliano fuera malo, débil, y cruel, y faltara a su palabra. 10

EL PAPA: Hija mía, la política de los hombres es tortuosa, y el poder temporal los alucina y a veces los envilece. Es el precio del poder temporal. Pero no debéis perder la confianza.

CARLOTA: Vuestras palabras me alivian tanto, Santo Padre. Yo sé que Dios está con Maximiliano porque su causa es buena, 15 porque él es bueno y limpio.

EL PAPA: Dios da su corona a los buenos, y es una corona más bella que la corona imperial, hija mía. Decís que vuestro esposo quiere salvar a la iglesia en México, en el país de la Guadalupana, y ésa es una grande y noble acción.[47] Pero, ¿abrogará entonces esas leyes tan parecidas a las de Juárez, que nos separaron?

5 CARLOTA: Os aseguro, Santo Padre, que si aceptáis el concordato todo se arreglará. ¿No representa mucho acaso para la iglesia contar con un príncipe católico en América?

EL PAPA: Hija mía, he luchado y lucharé con todas mis fuerzas por el dogma de la infalibilidad pontifical y por el dogma
10 de la Inmaculada Concepción, y creo que Dios se dignará coronar mis esfuerzos. Pero veo esfumarse poco a poco el poder temporal de la iglesia. Dios sabe por qué y su voluntad sea hecha. Mi influencia secular es nula casi. Los reyes, los príncipes y los ministros se abandonan a sus ambiciones
15 de poder y olvidan a la iglesia, y los pueblos se encrespan como las aguas del mar y olvidan a Dios. Vivimos una época extraña y difícil. Maximiliano mismo ha cedido a la influencia del siglo; pero yo sé que es bueno. Haré cuanto pueda por vos y por él, cuanto pueda por el pueblo de Mé-
20 xico; pero hay que volverlo a Dios.

CARLOTA: Gracias, Santo Padre, muchas gracias. Un barco tan largo que parecía que nunca llegaría yo al fin. Maximiliano tenía razón. Leal como siempre, me dijo: "Si Napoleón duda o niega, acude al Santo Padre, propónle un concordato."
25 Pero no podía yo llegar al otro extremo del barco. (*Reacciona*). ¿Qué es lo que he dicho, Santo Padre?

EL PAPA: Dijisteis que Maximiliano tenía razón.

CARLOTA: ¿Nada más, Santo Padre?

EL PAPA: Estáis cansada y débil, hija mía. Vuestra prueba es dura,
30 pero Dios sólo manda esas pruebas a los que son grandes y limpios de corazón. Tomaréis una taza de chocolate conmigo.

CARLOTA (*En un monotono*): No sé si pueda. Estoy saturada del veneno de ese hombre. Todo lo que tomo se convierte en
35 veneno. Lo negó todo, ¡todo!

EL PAPA: Debéis perdonar y olvidar, hija mía. Los imperios de la tierra duran poco. Los tronos temporales son de ceniza y las coronas son de humo. El hombre es una sombra por la que pasan brevemente la sangre y el sol de la vida. Pero debéis confiar también, y descansar un poco.

*Se levanta y, siempre de espaldas, llama tirando de un cordón de seda.*

CARLOTA (*En un monotono*): No me digáis eso, Santo Padre, por favor. ¿Cómo podría yo descansar ni cerrar los ojos mientras Maximiliano vela y espera? Quizás se bate a estas horas, 5 y yo no he conseguido nada. Me han rechazado dondequiera y Napoleón quería dar un baile para mí. Es amargo. ¿Cómo podría yo llegar al otro extremo del barco? Todas las gentes me miraban en Saint-Cloud como si hubiera estado loca, y Napoleón sonreía. (*Transición*). ¿Qué es lo que he dicho, 10 Santo Padre?

EL PAPA: Nada, hija mía. El recuerdo de vuestro esposo llena vuestro corazón y vuestra mente.

*Entra un* MONSEÑOR *llevando una charola en la que hay tres tazas y el chocolate del* PAPA, *que lo sirve en persona.*

*El* MONSEÑOR *dice algo al oído de Su Santidad. El* PAPA *mueve afirmativamente la cabeza. El* MONSEÑOR *sale.*

EL PAPA: Esto os reanimará. Viene de vuestro imperio, hija mía.

CARLOTA *acepta, un poco mecánicamente, la taza que le tiende el* PAPA, *y la lleva a sus labios.*

CARLOTA: Dije que me miraban como si pareciera yo loca. No, no 15 puede ser. ¿Creéis que estoy volviéndome loca, Santo Padre?

EL PAPA: Dad un poco de reposo a vuestra imaginación, hija querida.

*Entra un* CARDENAL. *Saluda al* PAPA *y a* CARLOTA; *el* PAPA *lo mira; el* CARDENAL *mueve negativamente la cabeza. El* PAPA *le indica con un gesto el chocolate; el* CARDENAL *se sirve.*

CARLOTA (*Dando un sorbo*): Es un buen chocolate éste. El sabor me recuerda las tardes con Maximiliano, haciendo planes 20 para el bien de México. (*Reacciona*). Santo Padre, el concordato es el único remedio. Decid que sí.

El Papa: Os explicaba antes, hija mía, que la iglesia pierde su poder temporal. Si accediéramos al concordato no podríamos ayudaros más que moralmente. La iglesia es pobre, y nos inquieta, ya os lo dije, ver que hace presa en Maximiliano
5 ese espíritu del siglo.

Carlota: Pero él ayudará a la iglesia, Santo Padre. Podríamos ir más lejos aún. Vuestra Santidad puede aliar a todos los países cristianos de Europa, recordar sus deberes a Francisco-José; yo convenceré a Leopoldo. Napoleón tendrá que so-
10 meterse. Sería como una cruzada. No podéis negaros.

El Papa: Un pontífice no puede negarse sin negar a Dios. Pero también os dije antes que mi influencia es nula.

Carlota: Es claro, claro. (*Deja su taza*).

El Papa: ¿Os sentís mejor, hija mía?

15 Carlota: Me siento perfectamente, Santo Padre. He abusado de mis nervios, y luego esa entrevista con el hipócrita Napoleón me puso fuera de mí. Pero estoy perfectamente, os lo aseguro.

El Papa: Dios sea loado. Id ahora, señora, id tranquila. Tenéis
20 nuestra bendición. Volved con vuestro esposo y tranquilizadlo. Entre tanto yo pensaré las cosas, y espero que Dios me permita ayudar a la buena causa.

Carlota: ¿Qué decís, Santo Padre? Yo no puedo volver antes de que firméis el concordato. Necesitamos dinero y soldados.
25 Todavía tengo que ir a Austria y a Bélgica, a buscar esa alianza. Es preciso que todo quede arreglado cuanto antes. Si Vuestra Santidad acepta el concordato, tendré éxito. Tengo confianza, pero no hay tiempo que perder. Busco por dondequiera y no encuentro tiempo ya—ni un minuto,
30 ni una migaja de tiempo para nosotros.

El Papa: Siempre hay tiempo, hija mía—y hay un tiempo para cada cosa. Id ahora y descansad. Es tiempo de eso. (*Se vuelve al* Cardenal). Acompañaréis a Su Majestad, Cardenal. Quizás le sentaría bien un paseo por los jardines antes de salir de
35 esta casa. Y recomendad a sus damas que la hagan descansar.

Cardenal: Así lo haré, Santidad.

*El* Papa *tiende la mano a* Carlota, *que besa el anillo pontificio y se dispone a partir. Llega hasta la puerta y se vuelve.*

## [XVI]

CARLOTA: No puedo irme, Santo Padre.

EL PAPA: ¿Qué decís, hija mía?

CARLOTA: No puedo irme. Sabéis de sobra, os lo he dicho, que los esbirros de Napoleón me persiguen.

EL PAPA: Vamos, hija mía, vamos. El Emperador puede ser débil, pero no es malo, y no os haría daño nunca. 5

CARLOTA: No lo conocéis bien. El lo planeó todo. Nos envió a México para robar, para matar, no para gobernar en paz y en amor. Os digo que me ha envenenado, Santo Padre.

EL PAPA: Señora, tendré que reñiros. Decís cosas pueriles, y vuestra desconfianza por Napoleón os hace creer lo que vuestra imaginación quiere. Además, perjudica vuestra causa. 10

CARLOTA: ¿También vos me creéis loca entonces, Santidad?

EL PAPA: No he dicho eso, hija mía, entendedme.

CARLOTA: Loca. Es natural. Napoleón lo dice a quien quiere oírlo: "Carlota Amalia está loca. Carlota Amalia está loca." ¿Cómo se atrevería a desafiar al Emperador de Francia, a ofenderlo, sino es porque está loca? Si no está loca, ¿a qué ha venido a Europa abandonando a su marido? Cree que tenemos compromisos con ellos. No han sabido gobernar en su imperio, y ahora pretenden que Francia los sostenga en el trono—en un trono hecho de cenizas como dijisteis, Santidad. Es claro que está loca: llama demonio a Su Majestad el Emperador de los franceses. ¿Lo haría si estuviera cuerda? México la ha trastornado. ¿No pretende inmiscuir a Europa en los asuntos de México? Pide dinero, pide ejércitos. Nosotros la ayudamos antes, toda Europa lo sabe; los ayudamos desinteresadamente, y ahora que no podemos seguir haciéndolo se vuelve contra nosotros. Habla de conspirar, de derrocar el imperio de Francia porque ni ella ni su marido han sabido gobernar. ¿Qué sé yo si no se me ha adelantado ya ante vos? Parece que lo oigo: "Santo Padre, esa pobre mujer os dirá mal de mí. La compadezco profundamente, pero nada puedo hacer por ella. Quiere encender la guerra en Europa y la revolución en Francia por su imperio de México. Os digo que su cabeza anda mal, Santo Padre." 15 20 25 30 35

EL PAPA (*Muy conmovido*): Hija mía ...

CARLOTA: No conocéis a Napoleón, Santidad, eso es todo. Yo lo he visto mentir y engañar durante tres años por boca de su lacayo Bazaine. Tiene poder suficiente para destruirme, para influir en el ánimo de todos los monarcas de Europa—
5 aun sobre vos mismo. Prometerá aquí y allá, como promete siempre, y lo creerán porque es Emperador de Francia y porque Francia está en el corazón de Europa y es el cerebro de Europa. Os impedirá ayudarme, Santo Padre, lo sé.

EL PAPA: Nuestro reino no es de este mundo, hija mía, y Napoleón
10 no es nuestro rey. Os suplico que no creáis en rumores, que no escudéis vuestra causa tras una mala pasión contra el Emperador. Os restarán partidarios, comprendedlo.

CARLOTA: Lo comprendo muy bien, Santidad, pero no tengo armas.

15 EL PAPA: Tenéis a Dios.

CARLOTA: Dios ayuda a Napoleón, no a Maximiliano.

EL PAPA: ¿Estáis ciega al extremo de blasfemar así, señora?

CARLOTA: ¿Veis como me creéis loca vos también? Me creéis loca porque defiendo la vida de mi esposo; pero no se trata sólo
20 de nuestras vidas, Santidad. Se trata de nuestro poder, se trata de una idea política, de un país que os interesa salvar para Dios, que estará perdido para la iglesia si Juárez triunfa. Se trata de una causa.

EL PAPA: Si vuestra causa es buena, podéis estar segura de que Dios
25 estará con vosotros.

CARLOTA: "Si, si, si." Vos también parecéis dudarlo. ¿Por qué? Porque Maximiliano promulgó unas leyes que eran necesarias. Yo sé que fué el diablo el que nos llevó a México, Santidad, lo sé ahora—y el diablo es Napoleón. Pero Dios
30 no puede abandonarnos allí ni dejar que perezcan la bondad y la fe de Maximiliano.

EL PAPA: Detrás de cada acto del diablo hay un acto de Dios, hija mía. Ese pobre pueblo os necesitaba sin duda.

CARLOTA: ¿Verdad que sí? ¿Verdad que sí, Santo Padre?

35 EL PAPA: Estoy seguro, señora.

CARLOTA: ¿Qué esperáis entonces? Aceptad el concordato, Santidad.

EL PAPA: Es doloroso decíroslo, pero pedís un imposible, hija mía.

CARLOTA: ¿Veis cómo tenéis miedo de Napoleón también vos y cómo Napoleón, cómo el diablo os maneja? Enviad embajadores, Santidad; haced venir a Roma a los monarcas cristianos, para que juzguen y firmen la alianza. Si no os atrevéis solo, llamadlos. Es el momento. Podréis reforzar el poder temporal de la Santa Sede, minado por Napoleón y por Cavour.[48] Podéis hacer caer a Napoleón al salvar a México. Porque no se trata sólo de México, sino del mundo entero, de Europa, que caerá en guerras y catástrofes si la iglesia pierde su poder, si Napoleón sigue gobernando, si la dinastía de los advenedizos se perpetúa. 5 10

EL PAPA: Hija mía, volvéis a ofuscaros. Olvidad el odio, que es un caballo negro y desbocado. Apelad al amor y conseguiréis vuestro propósito. Yo os prometo ayudaros.

CARLOTA: Así decía Max. Amor, amor, ¡amor! Vedlo ahora, traicionado por Napoleón, sin dinero, sin hombres, luchando él solo por la causa del amor en la tierra. ¿No sabéis que si yo hubiera prometido tierras y oro y plata a Napoleón, él habría sido servil y bajo y me habría dado cuanto le pidiera? ¿No sabéis que los príncipes se reirán de mí si les hablo de la causa del amor? Max no quiere tocar la tierra de México y yo no puedo traicionarlo. ¡No puedo! Tengo que volver a él, tengo que verlo en seguida—tengo una idea—la única idea de salvación. ¡Pronto! Decid a Su Majestad el Emperador que necesito hablarle luego. Es urgente. 15 20 25

*El* PAPA *y el* CARDENAL *cambian una mirada.*

CARLOTA: ¿Por qué me miráis así? ¡Ah, ya entiendo! Napoleón os lo ha dicho, Eugenia lo contó en el baile. ¡No, no, no! Yo no estoy loca, Santo Padre. Estoy envenenada pero no estoy loca. ¡Os digo que no estoy loca!

*Cae en el sillón y se queda allí quieta, mirando al vacío. Sólo sus manos, llenas de angustia, denuncian la vida en ella.*

EL PAPA: Cardenal, decid al séquito de la Emperatriz que Su Majestad dormirá esta noche en el Vaticano. No creo prudente dejarla salir en este estado. 30

CARDENAL: ¿Una mujer en el Vaticano, Santidad?

EL PAPA: Quizás la única en la historia. Infortunada. ¿Cómo podemos abandonarla si su corona es de espinas y de sombra? Id, Cardenal.

*El* CARDENAL *se inclina y sale. El* PAPA *se acerca a* CARLOTA*—sin dar el frente—y junta las manos como si orara.* CARLOTA, *que había estado mirando al vacío, siente de pronto la presencia del Papa. Se vuelve y dice con imperio:*

CARLOTA: ¡Este barco tan largo! ¿Habéis avisado a Su Majestad
5 el Emperador que lo espero?

EL PAPA (*Volviéndose de frente por única vez y alzando los ojos al cielo*): Su Majestad el Emperador está ya con vos, señora.

*Une las manos en oración.* CARLOTA *clava otra vez su mirada en el vacío.*

TELON

# ACTO TERCERO

# ESCENA PRIMERA

*DERECHA*
*Salón en el castillo de Miramar,*
*1866.*

## [XVII]

*Atardecer. Aparecen en escena* CARLOTA, *el* ALIENISTA, *la* DAMA DE HONOR, *el* CHAMBELÁN.

CARLOTA (*Sentada en un amplio sillón*): Traed luces, ¡traed luces!
ALIENISTA: En seguida, Majestad.

*Enciende las dos bujías de un candelabro, y se acerca a la Emperatriz colocando el candelabro sobre una mesa.*

ALIENISTA: ¿Vuestra Majestad duerme bien?
CARLOTA: ¿Es acaso el momento de dormir?
DAMA DE HONOR: Su Majestad duerme a veces con los ojos abiertos, doctor. Yo no podía creerlo, pero ayer noche me convencí. 5
ALIENISTA: Preferiría, señora, si me perdonáis, que Su Majestad se esforzara por contestarme ella misma.
DAMA DE HONOR (*Ofendida*): Perdonad, doctor.
ALIENISTA: En todos los casos en que Su Majestad no pueda responder, os agradeceré vuestra intervención. Decidme algo. ¿Os habéis separado de Su Majestad? 10
DAMA DE HONOR: Ni de día ni de noche.
ALIENISTA: ¿Tiene un sueño agitado, como si tuviera ensueños? ¿Habla al dormir? 15
CARLOTA: ¿Quién habla de dormir? En su despacho del castillo la luz está encendida siempre. Vela.
DAMA DE HONOR: Es una cosa extraña, doctor; no sé si Su Majestad sueña o no. Hasta ahora no ha hablado. Parece más bien

como si hiciera esfuerzos por callar. Aprieta los dientes y los labios. Y aun cuando cierra los ojos, da la impresión de estar despierta siempre.

ALIENISTA: Está en tensión. Gracias, señora. ¿Querría Vuestra Majestad levantar su mano derecha?

CARLOTA: ¿Quién vela en ese castillo? No sé ya cuál castillo es ni quién está en él. ¡Tantos castillos!

ALIENISTA: Majestad ... ¡Majestad!

CARLOTA *alza lentamente los ojos hacia él.*

ALIENISTA: ¿Querría Vuestra Majestad levantar su mano derecha en el aire? Así.

CARLOTA: ¿Para qué?

ALIENISTA: Quisiera ver de cerca esa sortija, Majestad.

CARLOTA *mira su mano y la alza lentamente. El* ALIENISTA *la toma entre las suyas.*

ALIENISTA: ¿Puede Vuestra Majestad mover ese dedo—el dedo en que tiene la sortija?

CARLOTA: ¿Mover mi dedo? ¿Cómo?

ALIENISTA: Así.

DAMA DE HONOR: Es como un juego, señora. Así.

CARLOTA: Ciertamente. (*Mira su mano en alto, le da vuelta y mueve otro dedo que el requerido*).

ALIENISTA: ¿Podría yo ver ahora la mano izquierda de Vuestra Majestad, la otra mano?

CARLOTA *junta sus manos abajo, las mira lentamente. Al cabo de un instante alza, con una sombra de sonrisa, la mano derecha, que el* ALIENISTA *toma.*

ALIENISTA (*A la* DAMA DE HONOR): ¿Tenéis un alfiler, señora?

DAMA DE HONOR (*Buscándose y dándolo*): Aquí está.

*El* ALIENISTA *toma el alfiler y lo hunde en la palma de la mano de* CARLOTA, *que permanece inmóvil y abstraída.*

DAMA DE HONOR: ¡En nombre de Dios! ¿Qué hacéis, doctor?

ALIENISTA: Como veis, señora, Su Majestad no ha sentido nada.

CARLOTA: ¿Por qué no habéis traído las luces? ¿No os dije acaso que las trajerais?

ALIENISTA: En seguida, Majestad.

*Toma otro candelabro de dos velas, que enciende en la llama de una de las encendidas, colocándolo al otro extremo de la mesa.*

CARLOTA: ¿Quién está en el castillo? ¿Qué castillo es ése?
ALIENISTA: ¿Come con apetito Vuestra Majestad? (CARLOTA *no responde*). ¿Quiere comer algo Vuestra Majestad? ¿Comer?
CARLOTA: ¿Es hora de comer acaso? 5
CHAMBELÁN: Permitid que os conteste, doctor. Su Majestad se niega a comer y a beber desde que salimos de Roma. Lo rechaza todo hablando de venenos, pero ... (*Duda*).
ALIENISTA: ¿Pero ...? Os ruego que me digáis todo cuanto pueda ayudar al examen. 10
CHAMBELÁN: Me avergüenza decirlo. Luego, Su Majestad busca a hurtadillas las provisiones, y se esconde para comerlas.
ALIENISTA: ¿Las roba?
CHAMBELÁN: ¡Doctor, por favor!
ALIENISTA: No hay que ofenderse, caballero. Ese instinto es normal 15 en los niños, en los dementes y en los gobernantes. (*Se vuelve a* CARLOTA). ¿Vuestra Majestad sabe, sin duda, que Su Majestad el Emperador Maximiliano la espera en México?

CARLOTA *no responde. El* ALIENISTA *hace una seña a la* DAMA DE HONOR.

DAMA DE HONOR: Primero Su Majestad no hablaba de otra cosa. Ahora ya no pronuncia el nombre del Emperador.
CARLOTA (*Como si oyera en este momento la pregunta del* ALIENISTA, *con voz blanca y lenta, a la manera de quien mira o toca un objeto extraño*): El Emperador Maximiliano. (*Aprieta los dientes*). ¿Quién ha hablado aquí? ¿Quién ha dicho su nombre? ¿Qué nombre era? 25
ALIENISTA: ¿Está contenta Vuestra Majestad de su visita a Roma? ¿Irá Vuestra Majestad a Viena? ¿Se encuentra bien Vuestra Majestad en Miramar?
CARLOTA: Tengo que ir a Roma. Tengo que ir a Viena. (*Mira sus manos*). ¿Qué es esto? (*El* ALIENISTA *se acerca y mira*). 30
ALIENISTA (*Con deliberada lentitud*): Vuestra Majestad tiene una gota de sangre en la mano.

CARLOTA: Esas luces que pedí, esas luces.

*El* ALIENISTA *hace una seña al* CHAMBELÁN, *que se apresura a encender dos velas más, colocando un tercer candelabro en la mesa.*

ALIENISTA: Una gota de vuestra propia sangre, Majestad.

CARLOTA *mira curiosamente sus manos.*

CARLOTA: No puedo ver sin luces. Claro.

*El* CHAMBELÁN *acerca un candelabro de tres velas, que enciende, colocándolo en la consola próxima.*

CHAMBELÁN (*A media voz*): ¿Qué significa esto? ¿Se ha afectado la
5 vista de Su Majestad también?
ALIENISTA: No lo creáis, caballero.

*Toma uno de los candelabros y lo pasa dos veces por delante de los ojos de* CARLOTA, *que no parpadea.*

DAMA DE HONOR (*En un grito sofocado*): ¡Dios mío! ¿No ve?
ALIENISTA: No es eso, señora. Su Majestad ve perfectamente—
pero está mirando a otro lado—un lado hacia el cual no
10 podemos ver nosotros. (*Posa el candelabro*).
CARLOTA: Una gota de sangre.
ALIENISTA: Majestad ... Majestad ... ¡Majestad!
CARLOTA: Callad. No podemos hablar aquí. He jurado que no hablaría. Tengo que ir a París para algo. Os lo diré todo en
15 París.
ALIENISTA: ¿Habéis olvidado que estamos ya en París? Vuestra Majestad puede hablar libremente.
CARLOTA: Es verdad. Nadie debe saber que estamos en París. Quería deciros algo—tenía algo que deciros. (*Busca*). ¡Ah,
20 sí! Os lo diré más tarde. No tenemos tiempo, ¿no veis? No
tenemos tiempo.
ALIENISTA: Muy bien, Majestad. (*A la* DAMA DE HONOR): ¿Reconoce Su Majestad sin intermitencias a todas las personas de
su séquito?
25 DAMA DE HONOR: No creo que nos desconozca, pero no lo sé bien.
No habla con nosotros directamente, ni nos llama por nuestro nombre.

ALIENISTA (*Al* CHAMBELÁN): ¿Reconoció Su Majestad a los miembros de la familia real de Bélgica? ¿Pudo hablar con ellos?
CHAMBELÁN: Durante su permanencia en París, Su Majestad escribió a sus hermanos, y a la familia imperial de Austria, que no podía verlos por razones políticas. 5

## [XVIII]

CARLOTA (*Con un grito desgarrado*): ¡Ay!
DAMA DE HONOR (*Acercándose a ella*): ¿Qué ocurre, señora?
CHAMBELÁN (*Mismo juego*): ¿Qué tenéis, Majestad? } *Simultáneamente.*

*El* ALIENISTA *se limita a acercarse, observando estrechamente a* CARLOTA.

CARLOTA: Mi mano—me duele atrozmente esta mano. ¡Tengo sangre en esta mano! 10
ALIENISTA: ¿Dónde exactamente, Majestad?
CARLOTA: No podéis verla en la oscuridad. Traed luces inmediatamente.

*El* CHAMBELÁN, *atento a la señal del médico, trae y enciende otro candelabro de tres velas, que deposita sobre la consola.*

ALIENISTA: ¿Os duele aún, Majestad?
CARLOTA: Atrozmente, os digo, ¡atrozmente!

*El* ALIENISTA *toma la mano de* CARLOTA *y pasa un pañuelo blanco por ella.*

ALIENISTA: Con esto desaparecerá vuestro dolor, señora.
CARLOTA (*A media voz, mirando su mano*): ¡Oh! ¡Ay! ¡Ay!
DAMA DE HONOR: ¿Tiene dolor en efecto? ¡Parece sufrir tanto!
ALIENISTA: Su Majestad está fingiendo. (*La* DAMA DE HONOR *se muestra ofendida*). Preguntádselo vos misma, señora. 20
DAMA DE HONOR: ¿Sufre mucho Vuestra Majestad de su mano? (CARLOTA *la mira sin responder*). ¿De su mano?

CARLOTA *mira sus manos una tras otra y mueve afirmativamente la cabeza.*

CARLOTA (*Con voz blanca*): Mi mano.

ALIENISTA: ¿Está sujeta Su Majestad a accesos frecuentes de cólera, o persiste más bien en su abatimiento? ¿Se exaspera con facilidad?

5 DAMA DE HONOR: El otro día rompió un gran jarrón de porcelana de Sèvres. No parece escucharnos; pero se enfada si insisto en que coma.

CHAMBELÁN: Pero lo hace de un modo, diría yo, impersonal, extraño.

10 ALIENISTA (*A* CARLOTA): Majestad, ¿para qué queréis tantas luces? (*Bruscamente*). ¿Qué quiere hacer Su Majestad con todas estas luces? ¡Vamos, pronto, o las apago todas!

CARLOTA: He pedido luces, pero nadie quiere traerlas ya. Ellos se niegan siempre.

15 ALIENISTA: Las traeré yo mismo, Majestad.

*Hace una seña al* CHAMBELÁN, *que sale y regresa un instante después llevando un tercer candelabro de tres velas, ya encendidas. El* ALIENISTA *lo toma y se acerca a* CARLOTA.

ALIENISTA: Aquí las tenéis, señora. Os digo que aquí tenéis las luces, ¿me oís?

CARLOTA: Hace ya mucho tiempo que espero en la oscuridad. ¿Oír? Nadie me oye. (*Como con una idea repentina*). Traedlas vos

20 mismo, os lo ruego, traed muchas.

*El* ALIENISTA *deposita el tercer candelabro de tres velas en la consola y vuelve a* CARLOTA.

ALIENISTA: Señora, han llegado noticias de Su Santidad ahora mismo. (CARLOTA *no se interesa*). Buenas noticias, Majestad. (*Saca un papel de su bolsa*). Mirad aquí el pliego. Es preciso que os enteréis, señora. Su Santidad ha aceptado. ¡El

25 concordato es un hecho!

*Le pone el papel en las manos,* CARLOTA *lo mira, lo despliega; algo parece interesarle profundamente en él. Lo dobla, mira de parte a parte y lo oculta en su seno.*

CARLOTA (*A media voz*): ¿Acaso podía ser de otro modo?

*El* Alienista *mueve la cabeza y reflexiona mientras pasea un poco, con las manos atrás. Parece tomar al fin una gran decisión. Se acerca a* Carlota *y pone el pulgar de su mano izquierda sobre la frente de la Emperatriz.*

Alienista (*Su voz crece poco a poco, como si gritara en un pozo*): Ruego a Vuestra Majestad que me mire. Miradme, señora, ¡miradme! ¡Os digo que me miréis, señora! (*Baja la voz*). Fijad vuestros ojos en mí. Vuestros ojos,—vuestros ojos.

Carlota *alza lentamente los ojos hacia el* Alienista. *Se estremece y trata de bajar la cabeza, pero él se lo impide. Entonces, con los ojos fijos en ella, ejecuta con la mano derecha algunos pases magnéticos. El* Chambelán *y la* Dama *observan la escena con un estremecimiento.*

Alienista: ¿Podéis oírme, Majestad? ¿Me oís? 5
Carlota: Os oigo perfectamente.
Alienista: Voy a haceros tres preguntas, señora, tres preguntas.
Carlota: Tres preguntas.
Alienista: ¿Queréis volver al lado de vuestro esposo el Emperador Maximiliano? (Carlota *calla*). ¿Queréis volver al lado de 10 Maximiliano?
Carlota (*Estallando en un gran grito*): ¡Todo está a oscuras, todo! Y todas las puertas son iguales, iguales—abren y cierran igual—lo mismo, lo mismo. No llevan adentro—no llevan afuera. ¡No! ¿No habéis oído? ¡Noticias de Su Santidad! 15 ¡Aquí están, aquí están! (*Agita un pliego imaginario en su mano*). Buenas noticias, ¿no es verdad? Mi cuñado me lo ha dicho. Vos lo dijisteis, Franz. Es espantoso. Todas las puertas son iguales. ¡Todo a oscuras! ¡No puedo leerlas, no puedo! 20

*Se levanta en un gran impulso y entra en una furia mecánica, golpea el suelo con el pie y va de un lado a otro mientras habla.*

Carlota: ¡No puedo esperar más! ¡Os he pedido luces!

*A una señal del* Alienista, *el* Chambelán *corre por otro candelabro, éste de cuatro velas encendidas. Su retorno coincide con la salida de la* DAMA DE HONOR. CARLOTA *habla siempre.*

CARLOTA: Pero no puedo decir nada tampoco. Juré no decir nada, callar los nombres. ¡Luces ya!

*La* DAMA DE HONOR, *a una indicación muda del* ALIENISTA, *sale y vuelve con otro candelabro de cuatro velas. Su regreso coincide con la salida del* ALIENISTA.

CARLOTA: Ahora tengo que callar. He hablado demasiado. Ahora todos conocen mi pensamiento. No es verdad, nadie lo co-
5 noce, ¡nadie puede conocerlo! ¡Traed luces!

*El* ALIENISTA *sale y regresa a su vez con un tercer candelabro de cuatro velas. El, la* DAMA DE HONOR *y el* CHAMBELÁN *conservan sendos candelabros en la mano mientras observan y rodean a la Emperatriz.*

CARLOTA: Es una cosa que sólo sabemos nosotros, nosotros, nosotros. ¿Quiénes somos nosotros?

*Baja la voz hasta que sólo deja escapar sonidos casi inarticulados. A veces sobresale la palabra callar, la palabra silencio, la palabra sombra.*

DAMA DE HONOR: ¡Doctor! ¿No podéis hacer nada?
ALIENISTA: Su Majestad ha perdido el dominio de sus sensaciones,
10 de sus centros nerviosos, la noción del lugar. Si Su Majestad Francisco-José me autoriza, someteré a la Emperatriz a un tratamiento. Pero será largo. (*La* DAMA DE HONOR *llora*).
CHAMBELÁN: Yo debo escribir a Su Majestad el Emperador Maximiliano. ¿Puedo decirle ...?
15 ALIENISTA: Podéis decirle que tengo pocas esperanzas. (*El* CHAMBELÁN *baja la cabeza*).
DAMA DE HONOR: No es posible. Algo que habrá que ...
CHAMBELÁN: La medicina ha progresado tanto, doctor; es preciso que ...

CARLOTA *continúa paseando y mascullando frases en un decrescendo.*

20 ALIENISTA: Mi ciencia tiene un límite, y Su Majestad se encuentra en la etapa más incierta de su mal. Lucharé por salvar su

razón. (*Con una idea de pronto*). Venid, acercaos con vuestros candelabros. Repetid lo que yo diga. (*Los tres rodean a* CARLOTA). ¿Es esto lo que pedíais, señora? ¿Son suficientes estas luces?

DAMA DE HONOR: Aquí están las luces, Majestad. ¡Mirad cuántas! 5

CHAMBELÁN: Las luces que Vuestra Majestad ha pedido.

CARLOTA: ¿Pedido? Sí, os he pedido algo, ¿no es verdad? (*Se sienta en un sillón*). Esperad ... Os he pedido algo. (*Repasa los dedos de su mano izquierda con uno de la derecha*). Sí, ya sé. Era ... No, no. Esperad, os digo. ¡Esperad! 10

*Se reconcentra, mirando al vacío. La luz de las doce bujías forma un círculo fantástico en torno a su rostro. Al fin sonríe débilmente.*

CARLOTA: Se me ha olvidado. Eso es, eso es. Se me ha olvidado.

OSCURO

# ESCENA SEGUNDA

*IZQUIERDA*
*Doble salón en el castillo de*
*Bouchout en Bruselas, 1927.*

## [XIX]

CARLOTA, *octogenaria, vestida de azul, aparece sentada en un sillón. El profesor* ERASMO RAMÍREZ, *sentado en el otro sillón, la mira como fascinado.*

CARLOTA: Olvidado. Se me ha olvidado. Esperad. Sí, sí—eso es. Un papel ... Un papel con orla de luto. ¿Por qué? Yo escribí una carta. Esperad. Oigo un ruido. Alguien ha roto un jarrón de Sèvres. No—lo he perdido. No me deja pensar un
5 rumor de campanas—veo petardos y flores, y mi hermano Leopoldo sonríe, con su gran barba negra.

ERASMO: Quizás la anexión del Congo. 1885.

CARLOTA: Esperad, os digo. Oigo más campanas, pero no son alegres. Oigo los golpes mesurados del bedel sobre las losas y
10 veo un hisopo que se agita en el aire.

ERASMO: Leopoldo II ha muerto. 1909.

CARLOTA: Y otra vez cintas y flores, carillones y salvas ... Hay alguien en la silla del trono. No distingo bien.

ERASMO: Alberto I es coronado. 1909.

15 CARLOTA: Gritos por dondequiera. Esperad. ¿Por qué gritan así? Las campanas están doblando, pero los gritos llegan más alto. Algo zumba allá arriba. Es exasperante, horrible. ¿Qué ruido es ése? (*Escucha*). Ahora. ¿Oís? Otra vez. Otra vez. Otra vez. Es un ruido sordo y largo que no me deja dormir.
20 Quiero dormir. Hay que cerrar todas las puertas, todas las ventanas. Allí está de nuevo. ¿Oís? (*Presta el oído*). Todavía. ¿Oís? ¿Oís el trueno?

ERASMO: 1914.

CARLOTA: Y ahora las campanas. Nunca había oído tantas campanas. ¡Mis pobres orejas! ¿Por qué ríe todo el mundo? Las gentes corren como llamas. Nadie me hace caso.

ERASMO: 11 de noviembre de 1918. 5

CARLOTA: Yo escribí una carta. Pero, ¿por qué tenía el papel un filo negro? Esperad. Tengo que acordarme. (*Se lleva las manos a la frente*).

ERASMO (*Citando libremente*): Quizás ésta. 1868. "Señora: Mucho os agradezco la expresión de pesar que me enviáis por la 10 muerte de mi muy amado esposo el Emperador Maximiliano. Vuestras palabras me traerían consuelo si un dolor tan grande pudiera ser consolado. ..."

CARLOTA: ¡No! ¡No! ¡Max! (*Mira sus manos de pronto*). ¿De quién son estas manos? (*Las agita en el aire, como para cambiarlas* 15 *por otras más jóvenes. Luego se toca el rostro y los cabellos, lentamente, una y otra vez*). Este no es mi rostro— Y estos cabellos muertos ... ¿Qué quiere decir esto? ¿De quién son estas manos? ¿Por qué? (*Se levanta, trágica, seca figura*). ¿Qué lugar es éste? 20

ERASMO: El castillo de Bouchout en Bruselas, 1927.

CARLOTA *se vuelve a él, irguiéndose.*

CARLOTA: ¿Qué es lo que habéis dicho?

ERASMO (*Levantándose, inflexible*): Bruselas. El castillo de Bouchout. 1927.

CARLOTA: ¡Es una mentira! (*Se palpa*). Pero ... este cutis ... estos 25 cabellos Dadme un espejo, ¡pronto!

ERASMO *señala en silencio la pared divisoria de cristales.* CARLOTA *se acerca lentamente y trata de mirarse en los cristales; vuelve la vista a todas partes, toma un candelabro, y se acerca nuevamente a la vidriera, donde mira atentamente su reflejo.*

CARLOTA: ¡No! ¡No! ¡No!

*Retrocede. El candelabro se escapa de sus manos.* ERASMO *lo recoge.*

CARLOTA: ¿Qué cifra es ésa que habéis dicho? ¡Repetidla!
ERASMO: 1927.

CARLOTA *se deja caer en un sillón, con el peso de un pájaro herido. Al cabo de un momento agita las manos temblorosas en el aire.*

CARLOTA: 1927. Bruselas. Yo nací en Laeken en 1840.[49] (*Cuenta con los dedos*). ¿Ochenta y siete años? ¿Hace ochenta y siete
5 años que nací?
ERASMO: Sí, señora.
CARLOTA: Os digo que es imposible. Otro siglo. El siglo xx—parecía tan lejano. Esperad. Yo salí de México en 1866—(*Trata de calcular*). No puedo. ¿Cuántos años, decidme,
10 cuántos años?
ERASMO (*Siempre inflexible*): Sesenta y un años, señora.
CARLOTA: No. Esto es un sueño—un sueño ridículo. Estas manos. ¿Habéis visto estas manos? (ERASMO *asiente*). ¿Son mías? (ERASMO *asiente*. CARLOTA *mira sus manos y se vuelve a*
15 ERASMO, *desconfiada de pronto*). Estáis mintiendo. ¿Sesenta y un años? No—me quitaré estos guantes horribles ... ¿Quién sois vos? ¿Qué hacéis aquí? No os conozco.
ERASMO: (*Con suavidad*): Soy un mexicano, señora.
CARLOTA: Salid en seguida. ¿Dónde están mis damas, mis chambe-
20 lanes, mis guardias? ¡Salid!

ERASMO *se dirige hacia la puerta. Llegado a ella, se vuelve.*

ERASMO (*Adaptándose al tratamiento convencional, para no complicar más la situación*): Perdone usted—perdonad, señora, pero no puedo irme así nada más. He hecho el viaje desde México hasta Bruselas para hablar con vos. Permitid que
25 me quede. Si me fuera ahora, sería con odio en mi corazón.
CARLOTA: Esperad. Una carta con orla de luto. ¿Qué decía esa carta?
ERASMO (*Citando*): ".... por la muerte de mi muy amado esposo el Emperador Maximiliano. Vuestras palabras me traerían
30 consuelo si un dolor tan grande pudiera ser consolado."
CARLOTA: Ya sabía eso—ya lo sabía. ¿Cómo conocéis vos esa carta?
ERASMO: He visto una copia en México, señora.

[XX]

CARLOTA: Siento como si de pronto pudiera yo comprender todas las cosas, y esto no me tortura. No me asfixia. "La muerte de mi muy amado esposo el Emperador Maximiliano." ¿Cuándo? ¿Cuándo?

ERASMO (*El último golpe*): Querétaro. El 19 de junio de 1867. 5

CARLOTA: Esperad. El 19 de junio de 1867. 1927. Sesenta años. ¿Queréis decir que hace sesenta años que él me espera? (ERASMO *asiente*). Es monstruoso. ¿Por qué? ¿Para qué? ¿Cometí un crimen tan grande para merecer esta separación? No entiendo—no entiendo. Esperad. (*Reflexiona profundamente*). Decidme: ¿Napoleón? 10

ERASMO (*Mecánico como un profesor*): Alemania derrotó e invadió a Francia en 1870. Napoleón murió en Chislehurst en 1873.[50]

CARLOTA: El Papa me lo dijo—lo recuerdo. Los imperios duran poco y los tronos están hechos de ceniza. Esperad. ¿El Papa? 15

ERASMO: Muerto en 1878.

CARLOTA: No ... ¿Bazaine?

ERASMO (*Mismo juego*): Bazaine traicionó a Francia y vendió a Napoleón en Metz en 1870.[51] El comprador fué Bismarck, muerto en 1898. Bazaine fué condenado a muerte en 1873, su pena conmutada por la de prisión. Se evadió y murió en España, abrumado por el desprecio de todos los hombres. 20

CARLOTA: Yo lo sabía, yo lo sabía. ¿En qué año?

ERASMO: En 1888. 25

CARLOTA: Napoleón seis años después; Bazaine veintiún años después. Claro. Claro.

ERASMO (*Aportando voluntariamente el dato*): Francisco-José murió en 1916. Su hijo Rodolfo se suicidó en Mayerling en 1889.[52] Profesaba las ideas liberales de Maximiliano. La dinastía de los Habsburgos ha dejado de reinar. Austria y Alemania son repúblicas. 30

CARLOTA: Quizá también él necesitó apoyar su trono sobre bayonetas extranjeras. Abdicar o morir. ¿Y Victoria?

ERASMO: Reina de Inglaterra, Emperatriz de las Indias. Murió en 1901, a los ochenta y dos años. Inglaterra y Francia ganaron la guerra contra Austria y Alemania en 1918, señora, con los Estados Unidos. También Francia es república. 35

CARLOTA: ¡No, no, no! Esperad. ¿Qué vértigo aterrador es éste? Todos han muerto ya. ¿Quién vive entonces? ¿Quizás Eugenia de Montijo?

ERASMO: La ex-Emperatriz Eugenia murió en Madrid, en 1920, señora—hace siete años.

CARLOTA *se levanta; da lentamente algunos pasos.*

CARLOTA: Todos han muerto aquí, y yo sobrevivo. ¿Por qué? ¿Por qué? (*Se vuelve a* ERASMO *y lo examina con lentitud*). ¿Por qué creí que erais el señor Juárez? No lo sois, ¿verdad?

ERASMO: Como él soy indio zapoteca, señora, y nací en Oaxaca. Benito Juárez murió el 18 de julio de 1872.

CARLOTA: Cinco años después. Aun él murió.

ERASMO: Su espíritu vive, señora.

CARLOTA: Dios ha sido justo con todos. A cada uno le dió la muerte a la hora justa. ¿Por qué no a mí? ¿Por qué se ha olvidado de mí? ¿Por qué? ¿Por qué? Era mejor no saber nada, no sentir nada más que la conciencia borrosa de haber muerto hace mucho tiempo, hace sesenta años, en otro siglo, en otro mundo diferente de éste de espectros que se levantan en torno a mí y que me esperan como él desde entonces. ¿Vive este mundo de hoy y qué quiere? Decídmelo.

ERASMO: Señora, ¿recordáis esos horribles zumbidos que escuchabais en el cielo de Bélgica en 1914? (CARLOTA *asiente, repitiendo el año*). Eran aviones, señora. Pájaros fabricados por la mano del hombre.

CARLOTA: Leonardo—Montgolfier [53] ... Era yo muy pequeña cuando subió alguien en un globo ... Me asusté y me reí.

ERASMO: El hombre puede volar hoy, señora, pero eso no lo aleja de sus viejos instintos. Como los seres de ayer, busca el poder siempre, busca la conquista por la fuerza, el mal.

CARLOTA: Como yo. ¿No es eso lo que queréis decir?

ERASMO: Sí, señora.

CARLOTA: Sesenta años. Sesenta años he llevado en mi cabeza esta pesada corona de sombra, y despierto sólo para adivinar el mismo sentido detrás de las palabras, la misma tácita afirmación detrás de las miradas. ¿Se me odia en México aún, como entonces? La ambiciosa, la fuerte, la orgullosa, la voluntad diabólica del pobre Max. ¿Nadie va a comprender nunca? ¿Nunca? Soy una mujer vieja—la más vieja del mundo. Sesenta años de locura son más largos que toda la razón humana. Emperatriz tres años con una corona que todos me disputaban—y los he sobrevivido a todos sin saberlo, arrastrándome como una sombra en Miramar, en Laeken, en Bouchout. Todos deben de haberse preguntado: ¿Y ella cuándo? ¿Cuándo será su turno? ¿Cuándo se confundirá con el polvo como todos nosotros, la ambiciosa, la loca, la Emperatriz en sueños? No tengo más que estas manos viejas y desnudas que no lograron el poder.

ERASMO: Señora ...

CARLOTA: Vuestra mirada hace un momento deletreó el mismo odio que leía yo en todos los ojos que me acechaban en México—el mismo arrepentimiento por habernos llamado—porque fuimos llamados. El lo decía a menudo y me llamaba su ambiciosa. ¿Ambicioné más que otros acaso? ¿No amé acaso a los indios? ¿Era yo tan extrahumana que nadie pudiera comprender ni excusar? ¿Dónde está mi belleza, mi juventud? ¿Y no bastan acaso sesenta años de vivir en la noche, en la muerte, con esta corona de pesadilla en la frente, para merecer el perdón?

ERASMO: Señora, escuchadme, os lo suplico. Yo no soy más que un historiador, una planta parásita brotada de otras plantas—de los hombres que hacen la historia. Yo no quito ni pongo rey. Soy un pobre hombre.

CARLOTA: Sois la mirada de México. Y yo no soy ya más que una vieja. ¿Conocéis mis retratos? Cuando los pintores me pintaban, pretendían hacerme más bella. Creían adularme; pero cambiaban lo que no podían reproducir. Yo era como Max: indescriptible. Y he vivido hasta ahora para que nadie me conozca. Está bien. Odiadme. Todo lo que queda del poder que quise alcanzar es eso. Me resigno. Pero decidme, ¿odia México aún a Maximiliano? ¿Odia México aún el amor?

ERASMO: Si he venido a buscaros hasta aquí, señora, fué con la más absurda, con la más descabellada esperanza de encontrar una nueva verdad para la historia de México.

CARLOTA: Pero no la habéis encontrado—¿no es así?

ERASMO: Hasta ahora no, señora. Estoy en la sombra yo también.

No entiendo todavía muchas cosas. La razón misma de que viváis así, por encima de todos los que os amaron, por encima de todos los que os dedicaron su odio, sigue escapándoseme de entre los dedos.

*Pausa.* CARLOTA *se sienta nuevamente, con dificultad.*

CARLOTA: Antes de iros de aquí, decidme una cosa. Decidme cómo murió Maximiliano.

ERASMO *inclina la cabeza y se reconcentra.*

ERASMO: A las siete de la mañana de un día claro ...
CARLOTA: Ya no olvidaré la fecha. 19 de junio de 1867.

OSCURO

# ESCENA TERCERA

*DERECHA*
*Celda de Maximiliano en el Convento de Capuchinas en Querétaro, 19 de junio, 1867.*

## [XXI]

MAXIMILIANO *aparece sentado ante una mesa; termina de escribir. Levanta y espacia la vista fuera del ventanillo de su celda y sonríe misteriosa y tristemente. Luego pliega con melancolía sus cartas. Un centinela abre la puerta de la celda y deja entrar a* MIRAMÓN.

MAXIMILIANO (*Sonriendo*): Buenos días, general Miramón.
MIRAMÓN: Buenos días, Majestad.
MAXIMILIANO: Es un amanecer bellísimo. Mirad aquellas nubes rojas, orladas de humo, que se vuelven luz poco a poco. Nunca vi amaneceres ni crepúsculos como los del cielo de 5
México. ¿Habéis escrito a vuestra esposa, a vuestros hijos?
MIRAMÓN: Sí, sire. Mejía hace otro tanto.
MAXIMILIANO: Pobre Mejía. Se aflige demasiado por mí. Por lo menos, podéis estar seguros de que vuestras cartas serán recibidas. Yo no sé si la Emperatriz podrá leer la mía. Las 10
últimas noticias que tuve me hacen temer por su lucidez más que nunca. (*Se acerca a* MIRAMÓN). Necesito haceros una confesión.

*El centinela abre una vez más la puerta. Entra* MEJÍA, *muy deprimido.*

MAXIMILIANO: Llegáis a tiempo, general Mejía. Quiero que los dos oigáis esta carta. No sé por qué, pero no pude resistir 15
la tentación de escribir a mi hijo.

MEJÍA y MIRAMÓN: ¡Señor! ¡Sire!

MAXIMILIANO: No. Al hijo que no tuve nunca. (*Toma un pliego de la mesa*). Fantasía de poeta aficionado. ¿Qué importancia tiene? A todos los que van a morir se les otorga un último de-
5 seo. (*Despliega la carta*). ¿Queréis fumar? (*Les tiende su purera,* MEJÍA *presenta el fuego y los tres encienden ritualmente sus cigarros puros*). Echaré de menos el tabaco mexicano.

MEJÍA (*Desesperadamente*): ¡Señor!

10 MAXIMILIANO: ¿Queréis que os lea mi carta? Es muy breve: "Hijo mío: Voy a morir por México. Morir es dulce rara vez; el hombre es tan absurdo que teme la muerte en vez de temer la vida, que es la fábrica de la muerte. He viajado por todos los mares, y muchas veces pensé que sería perfecto sumer-
15 girse en cualquiera de ellos y nada más. Pero ahora sé que el mar se parece demasiado a la vida, y que su única misión es conducir al hombre a la tierra, tal como la misión de la vida es llevar al hombre a la muerte. Pero ahora sé que el hombre debe regresar siempre a la tierra, y sé que es dulce
20 morir por México porque en una tierra como la de México ninguna sangre es estéril. Te escribo sólo para decirte esto, y para decirte que cuides de tu muerte como yo he procurado cuidar de la mía, para que tu muerte sea la cima de tu amor y la coronación de tu vida." Es todo. La carta del sui-
25 cida.

MEJÍA: ¡Majestad! (*Hay lágrimas en su voz*).

MAXIMILIANO (*Quemando la carta y viéndola consumirse*): Vamos, Mejía, vamos, amigo mío. Es el último derecho de la imaginación. No hay por qué afligirse.

30 MIRAMÓN: Nunca creí, señor, que el amor de Vuestra Majestad por México fuera tan profundo.

MAXIMILIANO: Los hombres se conocen mal en la vida, general Miramón. Nosotros llevamos nuestra amistad a un raro extremo; por eso nos conocemos mejor. A propósito, tengo
35 que pediros perdón.

MIRAMÓN: ¿A mí, señor?

MAXIMILIANO: No os conservé a mi lado todo el tiempo como debí hacerlo.

Miramón: Perdonadme a mí, señor, por haberme opuesto a la abdicación.

Maximiliano: Eso nunca podré agradecéroslo bastante.

Mejía: No es justo, señor, ¡no es justo! Vos no debéis morir.

Maximiliano: Todos debemos hacerlo, general Mejía. Cualquier día es igual a otro. Pero ved qué mañana, ved qué privilegio es morir aquí.

Mejía: No me importa morir, Majestad. Soy indio y soy soldado, y nunca tomé parte en una batalla sin pensar que sería lo que Dios quisiera. Y todo lo que le pedía yo era que no me mataran dormido ni a traición. Pero vos no debéis morir. Hay tantos indios aquí, tantos traidores, tantas gentes malas—pero vos sois único.

Miramón: Los republicanos piensan que los traidores somos nosotros, Mejía.

Mejía: Lo he pensado, ¡lo he pensado mil veces! Sé quc no es cierto.

Miramón: Quizás seremos el borrón de la historia, pero la sinceridad de nuestras convicciones se prueba haciendo lo que vamos a hacer.

Mejía: ¡Pero no el Emperador! ¡El Emperador no puede morir!

Maximiliano: Calmaos, Tomás—permitidme que os llame así—y dejadme deciros lo que veo con claridad ahora. Me contasteis un día vuestro sueño de la pirámide, general Miramón, y eso explicó para mí toda vuestra actitud. Vos, Tomás, veis en mí, en mi vieja sangre europea, en mi barba rubia, en mi piel blanca, algo que queréis para México. Yo os entiendo. No queréis que el indio desaparezca, pero no queréis que sea lo único que haya en este país, por un deseo cósmico, por una ambición de que un país tan grande y tan bello como éste pueda llegar a contener un día todo lo que el mundo puede ofrecer de bueno y de variado. Cuando pienso en la cabalgata loca que han sido estos tres años del imperio me siento perdido ante un acertijo informe y terrible. Pero a veces la muerte es la única forma verdadera de las cosas.

Miramón: Os admiré siempre, pero nunca como ahora, Majestad.

Maximiliano: Llamadme Maximiliano, querido Miguel. En la casa de Austria prevalece una vieja tradición funeral.

Cuando un emperador muere hay que llamar tres veces a la puerta de la iglesia. Desde adentro un cardenal pregunta quién es. Se le dice: "El Emperador, nuestro señor," y el cardenal contesta: "No lo conozco." Se llama de nuevo, y el cardenal vuelve a preguntar quién llama; se dan los nombres, apellidos y títulos del difunto, y el cardenal responde: "No sé quién es." Una tercera vez llaman desde afuera. Una tercera vez el cardenal pregunta. La voz de afuera dice: "Un pecador, nuestro hermano," y da el nombre cristiano del muerto. Entonces se abre la puerta. Quien va a morir ahora es un pecador: vuestro hermano Maximiliano.

MIRAMÓN: Maximiliano, me tortura la idea de lo que va a ser de México. Mataros es un gran error político, a más de un crimen.

MAXIMILIANO: Yo estoy tranquilo. Me hubiera agradado vivir y gobernar a mi manera, y si hubiéramos conseguido vencer a Juárez no lo habría yo hecho fusilar, lo habría salvado del odio de los mexicanos como Márquez y otros, para no destruir la parte de México que él representa.

MEJÍA: Vuestro valor me alienta, señor Maximiliano.

MAXIMILIANO: ¿Mi valor? Toda mi vida fuí un hombre débil con ideas fuertes. La llama que ardía en mí para mantener vivos mi espíritu y mi amor y mi deseo de bondad era Carlota. Ahora tengo miedo.

MIRAMÓN: ¿Por qué, señor?

MAXIMILIANO: Miedo de que mi muerte no tenga el valor que le atribuyo en mi impenitente deseo de soñar. Si mi muerte no sirviera para nada, sería un destino espantoso.

MEJÍA: No, México os quiere; pero los pueblos son perros bailarines que bailan al són que les tocan.

MAXIMILIANO: Ojalá. Un poco de amor me vendría bien. Estoy tranquilo excepto en dos puntos: me preocupa la suerte de mi Carlota, y me duele no entender el móvil que impulsó a López.[54]

MIRAMÓN: Ese tlaxcalteca.

MEJÍA: Ese Judas.

MAXIMILIANO: No digáis esa palabra, Miguel, ni vos esa otra, Tomás. Los tlaxcaltecas ayudaron a la primera mezcla que necesitaba México. Y decir Judas es pura soberbia. Yo no soy Cristo.

MEJÍA: Os crucifican, Maximiliano, os crucifican entre los dos traidores.

MAXIMILIANO: Sería demasiada vanidad, Tomás, pensar que nuestros nombres vivirán tanto y que resonarán en el mundo por los siglos de los siglos. No. El hombre muere a veces a semejanza de Cristo, porque está hecho a semejanza de Dios. Pero hay que ser humildes. 5

*Se escuchan, afuera, una llamada de atención y un redoble de tambores. Se abre la puerta y entra un* CAPITÁN.

CAPITÁN: Sírvanse ustedes seguirme. 10

MAXIMILIANO: Estamos a sus órdenes, capitán. ¿Puedo poner en sus manos estas cartas? (*El* CAPITÁN *las toma en silencio*). Gracias. Pasad, Miguel; pasad, Tomás. Os sigo.

*Cuando* MIRAMÓN *va a salir,* MAXIMILIANO *habla de nuevo:*

MAXIMILIANO: Miguel ...

MIRAMÓN *se vuelve.*

MAXIMILIANO: Soberbia—sería ... sí, eso es. Miguel López nos traicionó por soberbia, por vanidad. Ojalá este defecto no crezca más en México. 15

*Hace una seña amistosa.* MIRAMÓN *y* MEJÍA *salen.* MAXIMILIANO *permanece un segundo más. Mira en torno suyo.*

MAXIMILIANO: Hasta muy pronto, Carla. Hasta muy pronto en el bosque.

*Sale. Un silencio. La luz del sol se adentra en la celda, cuya puerta ha quedado abierta.*

LA VOZ DE CARLOTA: ¿Y luego? 20

LA VOZ DE MAXIMILIANO (*Lejana, pero distinta*): Ocupad el centro, general Miramón. Os corresponde. Soldados de México: muero sin rencor hacia vosotros, que vais a cumplir vuestro deber. Muero con la conciencia tranquila, porque no fué la simple ambición de poder la que me trajo aquí, ni 25

pesa sobre mí la sombra de un solo crimen deliberado. En mis peores momentos respeté e hice respetar la integridad de México. Permitid que os deje un recuerdo. Este anillo para vos, capitán; este reloj, sargento. Estas monedas con
5 la efímera efigie de Maximiliano para vosotros, valientes soldados de México.

*Pausa.*

No. No nos vendaremos los ojos. Morir por México no es traicionarlo. Permitid que me aparte la barba y apuntad bien al pecho, os lo ruego. Adiós, Miguel. Adiós, Tomás.
10 LA VOZ DEL CAPITÁN: ¡Escuadrón! ¡Preparen! ¡Apunten! ¡Fuego!

*Una descarga de fusilería.*

LA VOZ DE MAXIMILIANO: ¡Hombre! ...

*Al mismo tiempo se hace el*

OSCURO

## ESCENA CUARTA

*Doble salón en el castillo de Bouchout en Bruselas, 1927.*

### [XXII]

*El salón de la izquierda reaparece antes de que se extinga la descarga. El salón de la derecha se ilumina poco después.* CARLOTA *escucha. Hay una pausa y en seguida estalla, a lo lejos, un disparo aislado: el tiro de gracia.* CARLOTA *se lleva la mano al pecho.*

CARLOTA (*Con voz apenas audible*): Max. (*Pausa*). Es extraño, señor. Siento en mí una paz profunda, la luz que me faltaba. Sin quererlo, vos, que me odiáis por México, me habéis traído mi único consuelo.

ERASMO: Yo no os odio, señora. Ahora lo veo claramente. 5

CARLOTA: Tengo poco tiempo, señor: es el problema de siempre. ¿Qué debo decir al Emperador?

ERASMO: Señora ...

CARLOTA: No temáis: nadie se vuelve loco dos veces. Sé que el Emperador me espera desde hace sesenta años. Voy a reunirme 10 con él.

ERASMO (*Levantándose y hablando con lentitud y con sencilla solemnidad*): Señora, he tardado en ver las cosas, pero al fin las veo como son. Decid a Maximiliano de Habsburgo que México consumó su independencia en 1867 gracias a él. 15 Que gracias a él, el mundo aprendió una gran lección en México, y que lo respeta, a pesar de su debilidad. Han caído gobiernos desde entonces, señora, y hemos hecho una revolución que aún no termina.[55] Pero también la revolución acabará un día, cuando los mexicanos comprendan lo que 20 significa la muerte de Maximiliano.

CARLOTA: Gracias. ¿Quién os gobierna ahora, decidme?
ERASMO: Plutarco Elías Calles, señora.[56] Desde 1924.
CARLOTA: ¿Es un buen gobernante?
ERASMO: Señora, sólo puedo deciros que el pueblo reconoce a sus
5 buenos gobernantes con la perspectiva del tiempo. Pero siempre distingue a los malos mientras están gobernando.
CARLOTA: Decidme adiós ahora, señor.
ERASMO: Señora, humildemente os suplico que digáis al Emperador que consiguió su objeto.
10 CARLOTA: ¿Qué queréis decir?
ERASMO: Quiero decir que si el Emperador no se hubiera interpuesto, Juárez habría muerto antes de tiempo, a manos de otro mexicano.

*Entra el* PORTERO, *agitadamente.*

PORTERO: Perdón, Majestad. Márchese usted, señor, se lo ruego.
15 ¡Vienen, vienen!

ERASMO *se inclina ante* CARLOTA *y se dirige al fondo.*

CARLOTA: Señor. (ERASMO *se vuelve, se acerca a ella*). Una última cosa. Si fuera posible volver a vivir la vida, ¿sabéis lo que pasaría?
ERASMO (*Con sencillez*): Sí, señora. Volveríamos a fusilar a Maxi-
20 miliano.
CARLOTA: No he querido decir eso. Lo que quiero deciros es ... Acercaos. (*El obedece*). Lo que quiero deciros es que Maximiliano volvería a morir por México, y que yo volvería a llevar esta corona de sombra sobre mi frente durante sesenta años
25 para oír otra vez vuestras palabras. Para repetírselas al Emperador. Adiós, señor.

ERASMO *mira su manga izquierda; duda, se decide, besa la mano de* CARLOTA, *recoge en presuroso silencio sus objetos y sale por el fondo.*
CARLOTA *mira al frente. Sonríe. Se reclina en el respaldo del sillón con un gran suspiro de alivio.*

CARLOTA: Ya podéis apagar esas luces. En el bosque, Max. Ya estamos en el bosque.

*Por la primera puerta izquierda entra el* DOCTOR; *por la segunda, la* DAMA DE COMPAÑÍA. *El* PORTERO *se empequeñece al fondo.*

DAMA DE COMPAÑÍA: Doctor, mírela usted, ¡pronto!

*El* DOCTOR *se acerca a* CARLOTA; *levanta su mano floja y le toma el pulso. Luego aproxima el oído a su corazón. Entonces, sin una palabra, sopla una por una las bujías, se dirige al fondo y descorre las cortinas. La luz del sol penetra en una prodigiosa cascada, hasta iluminar la figura inmóvil de* CARLOTA. *En el umbral de la primera puerta izquierda aparece el* REY DE BÉLGICA. *La* DAMA DE COMPAÑÍA *llora y se persigna. El* REY *y el* PORTERO *la imitan y todos se arrodillan lentamente, mientras cae el*

TELON

# Notas

1 **... cuyo puño mira con frecuencia mientras habla.** El profesor Erasmo Ramírez es tímido y taimado, como muchos indios, acostumbrado a sentarse a su escritorio y evitar la mirada directa de sus estudiantes. Mira inconscientemente su manga izquierda mientras habla como si estuviera buscando sus explicaciones y respuestas allí.

2 **... haga usted avisar por teléfono a Su Majestad el Rey y a la familia real.** Alberto I, sobrino de Carlota, fué coronado rey de Bélgica en 1909 a la muerte de su padre Leopoldo II, hermano de Carlota.

3 **Os lo agradezco tanto, señor Juárez.** Benito Juárez (1806–1872), estadista mexicano, de raza indígena zapoteca. Fué gobernador del estado de Oaxaca y presidente de la Suprema Corte de Justicia, que le dió rango de vicepresidente de la República. Triunfó en 1861 en la Guerra Civil, defendiendo la integridad de la Constitución de 1857. Elegido presidente de la República en 1861, llevó a cabo la nacionalización de los bienes del clero y dictó un cuerpo de leyes conocidas del nombre de *Leyes de Reforma*. Luchó contra el ejército francés que quiso imponer a Maximiliano de Habsburgo como emperador de México. No abandonó las armas hasta lograr la aprensión de Maximiliano en Querétaro. Después del asesinato de Maximiliano en 1867, Juárez fué reelegido para la presidencia y murió cinco años más tarde.

4 **... se lo expliqué aquella noche en Miramar.** Castillo veraniego ubicado en Trieste, Italia, en el mar Adriático, donde Maximiliano y Carlota pasaron su luna de miel. Los dos vivieron en el castillo entre 1857 y 1864.

5 **Si tuviéramos hijos ... por un azar cualquiera.** Carlota y Maximiliano nunca tuvieron hijos. Se dice que Maximiliano había perdido en la juventud el poder de engendrar, a resultas de un mal venéreo. Corren todavía mil historias de hijos dejados por Maximiliano en México. No obstante, los Emperadores adoptaron a un hijo huérfano de la familia de los Iturbides durante su estancia en México.

6 **Mira a Victoria ...** Reina de Inglaterra (1819–1901) que subió al trono en 1837 a la muerte de su tío Guillermo IV y se casó con su primo hermano el príncipe Alberto de Sajonia-Coburgo. Reinó 63 años, 7 meses y 2 días, el reinado más largo de cualquier soberano en la historia de Inglaterra.

7 **Mira a mi padre buscando colonias.** Leopoldo I (1790–1865), rey de Bélgica, padre de Carlota. Siendo príncipe de Sajonia-Coburgo, re-

husó en 1830 la corona de Grecia que se ofrecía y se le hubo de insistir mucho para que después aceptase la de Bélgica.

8 **mira a Napoleón, emperador.** Napoleón III (1808–1873), Emperador de Francia desde 1852 hasta 1871, hijo de Louis Bonaparte y sobrino de Napoleón I. Contrajo matrimonio en 1853 con la dama española Eugenia de Montijo. Después de continuas vicisitudes, derrotado el ejército francés por el prusiano en la batalla de Sedan en 1870, fué hecho prisionero y arrojado del trono, muriendo tres años después en Inglaterra donde se había refugiado.

9 **Se dice que el duque de Reichstadt fué tu padre.** Napoleón II (1811–1833), hijo único del Emperador Napoleón I y de la Emperatriz María Luisa de Austria, fué llamado vulgarmente *l'Aiglon*. Con la derrota de Waterloo en 1815, su padre le declaró su sucesor, pero el Senado no le hizo caso y María Luisa le llevó a la corte de su abuelo Francisco I en Austria. Allí murió de tuberculosis y sus restos fueron trasladados de Viena a París durante la Segunda Guerra Mundial.

10 **¡Eugenia emperatriz!** Marie Eugénie de Montijo (1826–1920), Condesa de Teba y Emperatriz de Francia. Hija del Conde de Montijo y dotada de extraordinaria belleza, se casó en 1853 con Napoleón III. Proclamada la República francesa, se trasladó a Inglaterra donde se reunió con su marido, que murió en 1873.

11 **No, quedaos, general Miramón.** Miguel Miramón (1832–1867), general y presidente de México. Después de mandar el ejército del Norte, sustituyó a Zuloaga en la presidencia de la República, pero vencido por Juárez, tuvo que huir a Europa. De regreso a México en 1866 siguió al Emperador Maximiliano en su campaña, siendo fusilado con él y el general Mejía en Querétaro.

12 **Quedaos, señor Lacunza.** José María Lacunza, literato y político mexicano. Fundó en México la célebre Academia de Letrán que agrupó a escritores a mediados del siglo pasado. Fué ministro del Emperador Maximiliano y murió desterrado en La Habana en 1868.

13 **Pensé en las luchas intestinas que sufrimos desde Iturbide;** Agustín de Iturbide (1787–1824), siendo jefe de la Comandancia Militar del Sur durante la guerra de independencia, en marzo de 1821 proclamó el Plan de Iguala, con el cual se consumó la independencia. En mayo de 1822 fué declarado emperador por el ejército y el Congreso. En marzo del mismo año, obligado a abdicar, se fué al destierro a Italia viviendo de una pensión que le otorgó el Congreso. Regresó a México, ignorando que había sido declarado traidor, y fué fusilado.

14 **... en la traición de Santa-Anna ...** Antonio López de Santa-Anna (1795–1876), nacido en Jalapa, peleó en el ejército español contra sus conciudadanos hasta 1821, cuando pasó a las filas de Iturbide, quien le hizo gobernador de Veracruz. Iturbide había establecido un imperio en México pero en 1822 Santa-Anna proclamó una república. En 1833 se declaró presidente de la República, lo que significó la pérdida de Texas para México. Estando en el destierro en 1846 fué llamado para ser Comandante General de las fuerzas

militares y después presidente. Habiendo sido derrotado en la guerra con los Estados Unidos, se retiró a Jamaica pero fué llamado nuevamente en la revolución de 1853 y nombrado presidente. Su gobierno déspota ocasionó gran número de sublevaciones y en 1855 tuvo que huir de México, refugiándose finalmente en San Tomás de las Islas Vírgenes.

15 **... en el tratado Ocampo-McLane ...** El tratado de paz firmado entre México y los Estados Unidos el 14 de diciembre de 1859 dió a los Estados Unidos el derecho de paso a través del Istmo de Tehuantepec. A pesar de la insistencia del presidente Buchanan, nunca ratificó el Senado el tratado a causa de las crecientes luchas internas. Melchor Ocampo, secretario de Relaciones Exteriores de Benito Juárez, fusilado el 3 de junio de 1861 por el general Leonardo Márquez, hizo un papel importante en la redacción del tratado. Robert McLane (1815–1898), ministro norteamericano en México en 1859 y 1860, negoció el tratado impopular en México.

16 **... y en Antón Lizardo.** Un lugar de unos veinte y cuatro kilómetros al sur de Veracruz donde ocurrió en 1860 la intervención de las fuerzas marítimas de los Estados Unidos en favor del gobierno republicano liberal de Benito Juárez.

17 **Tomás Mejía es indio puro ...** Mejía (1815–1867), general mexicano, fué uno de los jefes del partido católico e hizo una guerra encarnizada a Juárez. Prisionero en Querétaro con Maximiliano, fué fusilado por orden del consejo de guerra.

18 **Las cumbres de Maltrata ...** Maximiliano se refiere a las montañas que se encuentran cerca de Orizaba que vieron los Emperadores camino de Veracruz a la capital en 1864.

19 ***"Massimiliano—non te fidare ...***
***Torna al castello—de Miramare."***
Canción italiana que se puede traducir así:
*"Maximiliano—no te fíes ...*
*Vuelvas a tu castillo—de Miramar."*

20 **Chapultepec, lugar de chapulines.** Los aztecas llamaron este cerro así por el gran número de estos insectos que infestaban la región. El bosque o parque, lleno de árboles antiguos llamados *ahuehuetes,* es uno de los más bonitos de la ciudad de México. El famoso castillo de Chapultepec, comenzado en 1783 por el Virrey Don Matías de Gálvez como palacio de verano, fué convertido en 1866 por el Emperador Maximiliano en residencia oficial.

21 **Haremos una gran avenida, desde aquí hasta el palacio imperial.** Por las órdenes de la Emperatriz Carlota, el famoso Paseo de la Reforma fué completado en 1866 como ruta directa de la residencia imperial en Chapultepec al Palacio Nacional en el Zócalo o la Plaza de la Constitución. Hoy día se considera la avenida más bonita y elegante de la República.

22 **Tenéis el apoyo de ese decreto.** Maximiliano se refiere al decreto de fecha tres de octubre de 1865 que estipulaba que todas las personas

portando armas contra el imperio, al ser capturadas fueran ejecutadas. Se proclamó una completa amnistía para los que depusieran las armas y se rindieran antes del quince de noviembre. Más tarde se prorrogó esta fecha hasta el primero de diciembre. Bazaine no quiere que el Emperador anule el decreto que según él no es más que una declaración de ley marcial.

23 BAZAINE: **Vuestra Majestad sabe que ...** François Achille Bazaine (1811–1888), general francés, que después de haber servido en España contra los carlistas y ascendido a mariscal de Francia, fué generalísimo de las tropas francesas que invadieron a México para entronizar a Maximiliano en 1862. En la guerra francoprusiana de 1870 capituló en Metz con su ejército de 175.000 hombres. La pena de muerte fué conmutada por la de veinte años de reclusión en la isla de Santa Margarita. Pudo escapar y se refugió en España donde murió en 1888. El autor mismo nos dice en cuanto a su tratamiento teatral de Bazaine: "No se puede perder tiempo en el teatro, pues el primer elemento del teatro es el tiempo. En realidad, Bazaine nunca cruzó palabras violentas con Maximiliano o con Carlota. Sin embargo, es culpable de muchos de los errores del Imperio, y, a la vez, es el jefe invasor que se piensa superior a los monarcas. Por eso se le dan un tratamiento y una acción teatrales tendientes a demostrar todo esto, a trazar su figura psicológica en el tiempo y al mismo tiempo."

24 **¿No os casasteis con una mexicana?** El Mariscal Bazaine se casó con la señorita Josefa Peña Azcárate el 26 de julio de 1865. Las bodas se celebraron en el Palacio Nacional de México en la presencia de Carlota y Maximiliano.

25 LABASTIDA: **Señor, Jesucristo mismo ...** Antonio de Labastida (1816–1891), arzobispo de México, se opuso a las Leyes de Reforma de Benito Juárez. Influyó a Napoleón III para que interviniera en México, pero más tarde se opuso a los ideales de Maximiliano.

26 **Mais regardez-moi donc le petit Indien.** Se puede traducir al castellano así: *Pues, ¡qué pretensiones tiene nuestro indio!*

27 PADRE FISCHER (*Interponiéndose*): ... El Padre Augustus Fischer, pastor luterano de Texas, que se convirtió al catolicismo y entró en la orden de los jesuítas. Fué mandado a Roma por Maximiliano para pedir ayuda al Vaticano.

28 **La iglesia es infalible, señor Mariscal, gracias a Su Santidad Pío IX.** Labastida alude al Papa Pío IX (1792–1878) que en 1870 convocó el Concilio Vaticano, en el cual se proclamó el dogma de la infalibilidad pontifical. El autor mismo nos explica que esto es un anacronismo deliberado por efectos teatrales porque "Pío IX sólo alcanza la aceptación de la infalibilidad pontifical después de 1879, y en mi pieza habla de ella en 1866."

29 **Tu familia no quiere mucho a Napoleón desde Solferino.** En los restos de este castillo en Italia, en la provincia de Mantua, Napoleón

III derrotó el ejército austríaco al mando del Emperador Franz Joseph I en 1859.

30 **Escribiré a Francisco-José ...** Franz Joseph I (1830–1916), Emperador de Austria, hermano de Maximiliano, que subió al trono en 1848, sucediendo a su tío Fernando I. Todo su reinado fué sumamente tempestuoso. En 1859, por haber luchado contra Italia, aliada de Francia, tuvo que cederle Lombardía; en 1866 quedó excluído de toda intervención en los asuntos de Alemania, como resultado de su guerra con Prusia, y tuvo que ceder el Véneto a Italia; en 1898 fué asesinada su esposa, la Emperatriz Isabel Amalia Eugenia. Se le nombró rey de Hungría en 1867. El asesinato del príncipe heredero y su esposa en Sarajevo, en 1914, fué una de las causas de la Primera Guerra Mundial.

31 **Tampoco a Bismarck le gusta Napoleón ...** Bismarck (1815–1898), político y diplomático alemán. Conde desde 1865, príncipe desde 1871, fué llamado el "Canciller de Hierro," y a él le debió Prusia en el siglo XIX todos sus triunfos en su política exterior y la unificación de Alemania. Se mostró siempre enemigo de las libertades públicas y de los principios liberales, y fué firme defensor de los derechos y privilegios de la nobleza, de la corona y de la casta militar.

32 **... escribo otra vez a mi hermano Leopoldo ...** Leopoldo II, rey de Bélgica desde 1865 hasta 1909, hermano de Carlota, después de la guerra francoprusiana de 1870, hizo respetar enérgicamente la neutralidad de su territorio. En 1885 creó el Estado Libre del Congo, que fué puesto bajo su soberanía personal y después fué anexado a Bélgica en 1908.

33 **... hice la guerra de la Crimea ...** En 1854 Crimea fué el teatro de una guerra sanguinaria, emprendida por Inglaterra, Francia, Turquía y Sardinia para conservar la integridad del poder del Sultán y para contener el influjo creciente de Rusia en el Mar Negro. El tratado de paz se promulgó en abril de 1856 después de la pérdida de unos quinientos mil rusos.

34 **... para atraer a Juárez o a Díaz ...** Porfirio Díaz (1830–1915), estadista y general mexicano, que luchó contra las tropas francesas y después contra las de Maximiliano. En 1876, cuatro años después de la muerte de Juárez, fué elegido presidente de México. Elegido nuevamente en 1884 y, por sucesivas reelecciones, se mantuvo en la presidencia hasta 1911. Murió en París. Su gobierno fué una dictadura ilustrada y progresista.

35 **... allí están Thiers y Lamartine, Gambetta y Víctor Hugo.**
*Louis Adolphe Thiers* (1797–1877), fué uno de los primeros estadistas franceses de su época y desempeñó varias carteras ministeriales y la presidencia del gobierno repetidas veces. En 1871 la Asamblea Nacional le nombró jefe del poder ejecutivo de la República francesa, encargándosele la formación de un ministerio, cuya presidencia se reservó. El 13 de agosto del mismo año fué nombrado presidente de la República, cargo en que prestó a su patria importantes servicios.

*Alphonse Lamartine* (1790–1869), literato y político francés. Se dió a conocer en 1820 con sus *Méditations poétiques,* que le consagraron como gran poeta romántico, y a las que siguieron *La Mort de Socrate* y *Dernier Chant du pèlerinage d' Harold,* que le abrieron la puerta de la Academia. También escribió novelas. Después de la revolución de 1848 formó parte del gobierno provisional con el cargo de Ministro de Negocios Extranjeros.

*Léon Gambetta* (1838–1882), orador y político francés, de familia oriunda de Génova. Distinguióse por su espíritu patriótico, su indomable energía y sus grandes dotes políticas, y fué sucesivamente Ministro del Interior, Presidente de la Cámara de Diputados y jefe del gobierno de su país.

*Victor Hugo* (1802–1885), poeta y novelista francés, uno de los más geniales de su tiempo, fué jefe de la escuela romántica. A los veintiún años escribió su primera novela, *Han d' Islande,* a la que siguieron varios tomos de poesías y sus más celebradas novelas: *Notre-Dame de Paris, La Légende des siècles, Les Misérables* y *Quatre-vingt-treize.* En el destierro publicó dos libros contra Napoleón III titulados *Les Châtiments* y *Napoleón le petit.*

36 **... que caigamos como Luis XVI y María Antonieta?**
*Louis XVI* (1754–1793), rey de Francia, nieto de Louis XV, a quien sucedió en 1774. En agosto de 1792, invadidas las Tullerías por el pueblo, fué encerrado con su familia en el Temple, de donde salió para aparecer ante la Convención, que le condenó a muerte y fué guillotinado el 21 de enero de 1793.

*Marie Antoinette* (1755–1793), reina de Francia, se casó en 1770 con el delfín de Francia, el futuro Louis XVI. Algo ligera de carácter, víctima de una campaña calumniosa, fué condenada a muerte y ejecutada el 16 de octubre de 1793.

37 **Salón en el palacio de Saint-Cloud ...** Antigua residencia imperial a orillas del Sena cerca de París. El castillo fué destruído en un incendio en 1870.

38 **¡Quel bougre de prince!** Se puede traducir al castellano así: *¡Qué macho es aquel príncipe!*

39 **... no he venido a Europa a bailar.** Carlota está en Saint-Cloud en agosto de 1866. Su padre Leopoldo I había muerto el 10 de diciembre de 1865. Por eso, todavía está ella de luto.

40 **Mérimée hizo un concurso de ortografía francesa entre nosotros ...** Prosper Mérimée (1803–1870), literato francés que sobresalió en la novela, la historia y el género epistolar. Escribió *Carmen* en 1847, la novela romántica que fué la base de la ópera popular de Bizet.

41 **El príncipe de Metternich ...** A Metternich (1773–1859), diplomático austríaco, más que a nadie, se le debe el triunfo de la reacción en Europa desde 1815, la supresión del constitucionalismo y el dominio ejercido por la Santa Alianza. La revolución de 1848 le arrojó del poder, y desde entonces vivió alejado de la política.

42 **Derrotó ... a Feuillet y a Dumas.**

*Octave Feuillet* (1821–1890), novelista y dramaturgo francés. Napoléon III le nombró Bibliotecario Imperial en 1868.
*Alexandre Dumas* (1802–1870), novelista y dramaturgo francés de renombre universal. Hizo representar con gran éxito el drama *Henri III et sa cour* que le valió la protección del Duque de Orleáns y le abrió de par en par las puertas del teatro. Tanto sus dramas, que componen 25 tomos, como sus novelas, que suman 157, son muy conocidos. Sus obras más famosas son *Les Trois Mousquetaires* y *Le Comte de Monte-Cristo.*

43 **Echo de menos a Morny ...** Comte de Morny (1811–1865), político francés, hijo natural del general De Flahaut y de la reina Hortense, madre de Napoleón III, medio hermano de éste a quien sirvió de secretario. Oficial del ejército, pidió el retiro en 1838, se dedicó a la política, fué elegido diputado y desempeñó después la cartera del Interior, la presidencia del cuerpo legislativo y la embajada de Rusia.

44 **... como decía el Cardenal Mazarino.** Jules Mazarin (1602–1661), cardenal italiano, después de brillantes estudios en la Universidad de Alcalá de Henares y la de Salamanca en España, se dedicó a la diplomacia y entró en el servicio de Francia, consiguiéndole Richelieu el capelo cardenalicio y designándole como sucesor suyo en 1642. Gozó de la confianza de la reina regente Ana de Austria y de Louis XIV. Nació en Italia, pero se hizo francés en 1638.

45 **... o en las Tullerías ...** Antiguo palacio de los reyes de Francia en París, situado entre el Louvre y la Place de la Concorde.

46 ***Dommage! avec ce galbe superbe!***
Se puede traducir al castellano así:
*¡Qué lástima! ¡Y con tal donaire!*

47 **... en el país de la Guadalupana ...** Según la leyenda, se cree que en los primeros días de diciembre de 1531, apareció la Virgen a cierto indio llamado Juan Diego en el cerro de Tepeyacac, situado en las afueras de la capital actual de México. Por una bula pontificia de 1745, la Virgen de Guadalupe se declaró patrona de la Nueva España.

48 **... minado por Napoleón y por Cavour.** Camillo Benso di Cavour (1810–1861), político italiano, fué varias veces ministro y jefe del gobierno. Se le considera como el verdadero iniciador de la unidad italiana.

49 **Yo nací en Laeken en 1840.** Ciudad de Bélgica, en Brabante, anexada a Bruselas en 1921. Allí se fabrican tapices muy afamados, jabones y productos químicos.

50 **Napoleón murió en Chislehurst en 1873.** Chislehurst se encuentra en el condado de Kent, Inglaterra.

51 **... vendió a Napoleón en Metz en 1870.** Bazaine capituló en Metz, ciudad incorporada a Francia en 1648. En 1870 pasó a ser alemana, volviendo a ser francesa en 1919.

52 **Su hijo Rodolfo se suicidó en Mayerling en 1889.** Archiduque de Austria (1858–1889), hijo único del emperador Franz Joseph I. Casado con Estefanía, hija del rey Leopoldo II de Bélgica, y en rela-

ciones ilícitas con la baronesa Vetzera, se le encontró muerto con su amante en el pabellón de caza de Mayerling cerca de Viena.

53 **... Montgolfier.** Carlota se refiere a Joseph Michel Montgolfier (1740–1810), que aficionado a la aeronaútica, inventó con su hermano Jacques Etienne (1745–1799) los globos aerostáticos. Se hizo el primer experimento público en 1783.

54 **... el móvil que impulsó a López.** Miguel López (?–1891), coronel mexicano que el 15 de mayo de 1867 traicionó las fuerzas de Maximiliano en Querétaro.

55 **... y hemos hecho una revolución que aún no termina.** El historiador se refiere a la revolución de 1910–1920.

56 **Plutarco Elías Calles ...** General y político mexicano (1887–1945) que ocupó la presidencia de la República en el período constitucional desde 1924 hasta 1928.

# Ejercicios

## [I]

A. *Escríbanse sinónimos de las palabras siguientes:*

1. a su vez
2. pelo
3. en efecto
4. desear
5. recámara
6. quizás
7. marido
8. extraño
9. fijarse
10. labor

B. *Escríbanse antónimos de las palabras siguientes:*

1. derecho
2. fuera de
3. lentitud
4. lejos de
5. nadie
6. siempre
7. acabar
8. algo
9. oscuro
10. encender

C. *Escríbanse oraciones originales empleando las expresiones siguientes de tal modo que se revele el significado de la expresión:*

1. tener años
2. a la vez
3. en torno suyo
4. a veces
5. por favor
6. consistir en
7. vestir de
8. hacer una pregunta
9. dar a la recámara
10. a menudo

D. *Contéstense a las preguntas siguientes con oraciones completas:*

1. Descríbase al Portero.
2. Descríbase al historiador mexicano.
3. ¿Por qué parece su traje fuera de época?
4. ¿Qué lleva Erasmo en la mano?
5. ¿Por qué mira el puño con frecuencia mientras habla?
6. ¿Cómo habla?
7. ¿Por qué tose el Portero?
8. Según Erasmo, ¿qué le curará la tos?

9. ¿Lo acepta el Portero?
10. ¿Por qué es imposible ver el otro salón, según el Portero?
11. ¿Qué saca el historiador para hacer sus anotaciones?
12. ¿En qué cuarto hace la Dama de Compañía su labor de costura?
13. ¿Ve el Portero a la señora a menudo?
14. ¿Habla ella con él?
15. ¿Con quiénes habla ella?
16. ¿Cuánto tiempo hace que está el Portero al servicio de la señora?
17. ¿Qué frase curiosa le dijo ella ayer?
18. ¿Qué hora era cuando dijo la señora esto?
19. ¿Qué pidió ella toda la mañana?
20. ¿Qué hizo con las bujías?
21. ¿Cuántos años tiene la señora?
22. ¿Parece tener menos años?
23. ¿Cómo era el abuelo del Portero cuando murió?
24. ¿Por qué no hay ningún retrato del marido de la señora en el salón?
25. ¿Habla ella de su esposo a veces?

**E.** *Proyectos escritos u orales:*

Al levantarse el telón, ¿cómo es la escena? Hágase un dibujo mostrando los dos salones con sus puertas, sus ventanas, sus muebles, etc.

## [II]

**A.** *Escríbanse sinónimos de las palabras siguientes:*

1. lugar
2. en seguida
3. desleal
4. rostro
5. velas
6. en realidad
7. luego
8. tenga Ud. la bondad de—
9. pardo
10. enfadado

**B.** *Escríbanse antónimos de las palabras siguientes:*

1. rehusar
2. valor
3. negativamente
4. olvidar
5. buscar
6. peor

7. viejo
8. alzar
9. levantarse
10. delgado

C. *Escríbanse oraciones originales empleando las expresiones siguientes de tal modo que se revele el significado de la expresión:*

1. tener que
2. en seguida
3. de pronto
4. a raudales
5. dejar caer
6. apoyarse en
7. hacia atrás
8. tomar el pulso
9. arrodillarse
10. tenga Ud. la bondad de—

D. *Escríbase el modo subjuntivo de los verbos que están escritos en bastardillas, explicando las razones de su uso:*

1. Prefiero que ellos me *despedir*.
2. Ojalá que Dios y ella me *perdonar*.
3. Por favor, tómelos, para que *poder* yo perdonarme.
4. Si alguien *enterarse* de que lo he hecho, no me perdonaré nunca.
5. Me siento como si *estar* cometiendo un crimen.
6. Ella me ordenó que le *leer* la historia de Bélgica.
7. Usted pidió que yo *encender* las bujías.
8. Quizás éste *ser* el último ataque.
9. La historia no habla mal de nadie, a menos que se *tratar* de alguien malo.
10. Se lo ruego que usted *ir*.

E. *Contéstense a las preguntas siguientes con oraciones completas:*

1. ¿Por qué se siente el Portero como si estuviera cometiendo un crimen?
2. ¿Por qué ha querido ver este lugar histórico el historiador mexicano?
3. ¿Qué le promete Erasmo al Portero?
4. ¿Por qué le gustaría a Erasmo hablar con Carlota?
5. ¿Cómo era ella, según el historiador?
6. Según el Portero, ¿cómo le engaña Erasmo?
7. ¿Cuántos años tiene una nonagenaria?
8. ¿Qué se oye detrás de la segunda puerta izquierda?
9. ¿Adónde salen Erasmo y el Portero antes de entrar Carlota?

10. Descríbase a Carlota Amalia.
11. ¿Cómo viste ella?
12. ¿Cómo es la Dama de Compañía?
13. ¿Qué recoge Carlota del sillón?
14. ¿Qué hace ella al recogerlo?
15. ¿Qué pidió Carlota al oír la palabra "México"?
16. ¿Había sol en el salón?
17. ¿Qué deja caer la Dama de Compañía?
18. ¿Qué busca ella en el costurero? ¿Por qué?
19. Descríbase al doctor.
20. ¿Qué objetos pide él a la Dama de Compañía?
21. ¿Cómo explica ella lo que ocurrió?
22. En cuanto a la lectura, ¿qué órdenes le había dado el doctor a la Dama de Compañía?
23. ¿Qué gritó Carlota?
24. ¿Cuánto tiempo hace que cuida a Carlota la Dama de Compañía?
25. Según el doctor, ¿quizás sea ésta la crisis definitiva?

## [III]

A. *Escríbanse sinónimos de las palabras siguientes:*

1. incorporarse
2. regresar
3. fatigado
4. seguir
5. por fortuna
6. listo
7. odiar
8. avisar
9. acaso
10. al cabo de

B. *Escríbanse oraciones originales empleando las expresiones siguientes de tal modo que se revele el significado de la expresión:*

1. una vez más
2. por fortuna
3. a tiempo
4. tanto mejor
5. a pesar de
6. hacer daño
7. ojalá
8. hacia afuera
9. encogerse de hombros
10. al cabo de

C. *Sustitúyanse las palabras escritas en bastardillas con los debidos pronombres personales, haciéndose los otros cambios que sean necesarios:*

1. Los dos observan atentamente *a Carlota.*
2. Yo diré *algo a Su Majestad.*
3. ¿Por qué han corrido *las cortinas?*
4. Haga usted avisar *a Su Majestad el Rey.*
5. ¿No ha recobrado *la razón?*
6. Quiero decir *la verdad al mundo entero.*
7. Decid *a Su Majestad* que tengo que hablarle.
8. Ella ha vuelto a pedir *luces.*
9. Debo quitarme *este traje.*
10. Tráigame usted *las peinetas de carey.*

D. *Escríbase el modo subjuntivo de los verbos que están escritos en bastardillas, explicando las razones de su uso:*

1. La Dama de Compañía cruza las manos como si *rezar.*
2. Decidle que es importante que no *hablar* con ninguno de los ministros hasta que me *ver.*
3. Quiero que él *venir* dentro de media hora.
4. Ojalá que *haber* un traje azul.
5. Ordeno que usted no se la *contradecir* en nada.
6. Vuelvo a suplicarle que usted me *dejar* aquí.
7. Decid a Su Majestad que nadie *enterarse* de mi regreso.
8. Le ruego que usted *ser* humano.
9. El pide que yo le *dedicar* mi libro.
10. Es natural que los mexicanos la *odiar.*

E. *Contéstense a las preguntas siguientes con oraciones completas:*

1. ¿Cómo son los movimientos que hace Carlota?
2. ¿Quién ayuda a la Dama de Compañía a encender los velones?
3. ¿Cómo parecen los cabellos blancos de Carlota a la luz de las velas?
4. ¿A quién quiere ver Carlota en seguida?
5. ¿Cómo explica ella el hecho que está tan fatigada?
6. ¿Qué quiere hacer antes de ver a Su Majestad el Emperador?
7. ¿Con quiénes no debe hablar el Emperador hasta que la vea?
8. ¿Qué traje pide Carlota a la Dama de Compañía?

9. Según la Dama de Compañía, ¿en qué estado está el antiguo traje?
10. ¿A quiénes debe ella avisar por teléfono?
11. En su ausencia, ¿al cuidado de quién va a dejar a Su Majestad?
12. Según el médico, ¿cómo se parece la muerte a la vida?
13. ¿Quién asoma por entre las cortinas de la terraza?
14. ¿A quién hace él una señal hacia afuera?
15. ¿Por qué busca la verdad Erasmo para decirla al mundo entero?
16. Según el Portero, ¿qué actitud tienen los mexicanos hacia Carlota?
17. ¿Qué obligaciones tiene la historia, según el historiador?
18. ¿Por cuántos años ha sobrevivido Carlota a su marido?
19. ¿Cómo se llama el Portero?
20. ¿Qué le promete Erasmo?

## [IV]

A. *Escríbanse sinónimos de las palabras siguientes:*

1. aguardar
2. sin duda
3. prisa
4. mensaje
5. oídos
6. honrado
7. caminar
8. triunfar
9. curioso
10. detestar

B. *Escríbanse oraciones originales empleando las expresiones siguientes de tal modo que se revele el significado de la expresión:*

1. caber en
2. darse prisa
3. hacer un viaje
4. de pie
5. tener razón
6. frente a
7. darse cuenta de
8. echar a andar
9. es verdad
10. pensar en

C. *Escríbase el tiempo imperfecto o pretérito de los verbos que están escritos en bastardillas, explicando las razones de su uso:*

1. Erasmo *levantarse* electrizado.
2. La Doncella *inclinarse* y *desaparecer* por la puerta.
3. Yo *saber* que usted no *poder* desoírme.

4. Yo *oír* el grito cuando nosotros *venir* de Veracruz a México.
5. Yo se lo *explicar* todo a Max.
6. Erasmo siempre *tocar* la mano con la punta de los dedos al encontrarla.
7. El historiador *seguir* mirando a Carlota.
8. *Ser* las once de la noche cuando yo *apagar* las luces.
9. Una voz *gritar:* "¡Viva Juárez!"
10. No me *gustar* mandar dos veces la misma cosa.

**D.** *Contéstense a las preguntas siguientes con oraciones completas:*

1. ¿Dónde se esconden Erasmo y Etienne al entrar Carlota?
2. ¿Cómo aparece vestida ella?
3. ¿Qué realza la majestad de su figura erguida?
4. ¿Quién la precede?
5. ¿Cómo camina Carlota?
6. ¿Dónde se detiene ella?
7. ¿Recuerda lo que tiene que decir a su esposo?
8. ¿Sabe dónde está el tiempo?
9. ¿Por qué obedece la Doncella a las órdenes de Carlota?
10. Según Carlota, ¿en qué cabe el tiempo?
11. ¿Cuándo descubrió esto?
12. En cuanto a las cortinas, ¿qué ordena Carlota?
13. Al hacerlo, ¿a quiénes dejan al descubierto?
14. ¿Cómo es la figura de Erasmo al abrir las cortinas por el centro?
15. ¿Le tiende la mano Carlota?
16. ¿Cómo la toca Erasmo?
17. ¿Por qué no se sienta Carlota?
18. ¿Qué palabras oía ella mientras venía en el barco?
19. ¿Por qué se levantó electrizado Erasmo?
20. ¿Qué oyó Carlota en la diligencia en el viaje de Veracruz a México?
21. ¿Qué pregunta Erasmo que va a ser el asunto principal de la segunda escena?
22. ¿Cuánto tiempo pasa entre la primera escena y la segunda?
23. ¿Quién echa a andar con el candelabro al apagarse la luz en el salón?

## [V]

A. *Escríbanse sinónimos de las palabras siguientes:*

1. lecho
2. preocupado
3. feliz
4. semejante
5. poderoso
6. amantes
7. ocurrir
8. hermoso
9. reinar
10. disparates

B. *Escríbanse antónimos de las palabras siguientes:*

1. engordar
2. tarde
3. debilidad
4. lento
5. nacer
6. cobardía
7. mentira
8. felicidad
9. lleno
10. conquistar

C. *Escríbanse oraciones originales empleando las expresiones siguientes de tal modo que se revele el significado de la expresión:*

1. por ningún lado
2. por eso
3. dar risa
4. pedir a
5. en serio
6. hacer calceta
7. de niña
8. tratar de
9. se dice
10. lleno de

D. *Escríbase el modo subjuntivo de los verbos que están escritos en bastardillas, explicando las razones de su uso:*

1. Quizás *ser* demasiado pedirte.
2. He venido a pedirte que *seguir* siendo la princesa más bella de Europa.
3. Si nosotros *tener* hijos, dedicaría mi vida a cuidarlos con la esperanza de que alguno de ellos *llegar* a reinar un día.
4. No tenemos nada que nos *encadenar* a Europa.
5. Llegará un día en que los tronos quizás se *acabar.*
6. Es preferible que *sentarse* en los tronos príncipes de sangre.
7. Tu hermano y sus hijos tendrían que morir para que tú *poder* reinar en Austria.

8. Si nosotros *creer* a las malas lenguas, tú tendrías más derecho a ocupar el trono.
9. ¿Vas a esperar hasta que las flores *morir* para atreverte a cortarlas?
10. Me alegro de que usted *conocer* la naturaleza.

E. *Contéstense a las preguntas siguientes con oraciones completas:*

1. ¿Qué representa el salón de la derecha en esta escena?
2. ¿En qué fecha pasa la acción de la segunda escena?
3. Al levantarse el telón, ¿qué hace Maximiliano?
4. Descríbase a Carlota en esta escena.
5. ¿Qué hace ella durante la primera parte del diálogo?
6. ¿De qué ceremonia de mañana habla Carlota?
7. ¿Qué cosa ha venido a pedirle Maximiliano?
8. ¿A qué parte del mundo le gustaría emprender viajes?
9. ¿Qué razones le da Maximiliano a Carlota para explicar su felicidad?
10. ¿Por qué no es feliz Carlota?
11. ¿Qué haría ella si tuviera hijos?
12. ¿Qué actitud tiene Maximiliano hacia los tronos?
13. Según Carlota, ¿quiénes deben sentarse en los tronos?
14. ¿Quiénes envidian a los dos amantes?
15. ¿Quiénes tendrían que morir para que pudiera reinar Maximiliano en Austria?
16. ¿Podría reinar Carlota en Bélgica?
17. Según Maximiliano, ¿por qué se han acabado las dinastías?
18. ¿A quiénes menciona Carlota para probar que las dinastías no se han acabado?
19. ¿Quién tenía más derecho que Napoleón de ocupar el trono de Francia? ¿Por qué?
20. ¿Le gusta a Carlota la esposa de Napoleón? Según ella, ¿cómo es la emperatriz?
21. ¿Qué quería ser Carlota de niña?
22. ¿Tienen raíces en América los dos amantes?
23. Según Maximiliano, ¿por qué no es posible ir a México como conquistadores?
24. ¿Por qué se cree él más fuerte que Napoleón?
25. ¿Cómo es su filosofía en cuanto al valor?

## [VI]

A. *Contéstense a las preguntas siguientes con oraciones completas:*

1. Según Carlota, ¿de dónde cayeron los mexicanos?
2. ¿Qué cuento de hadas es el más milagroso del siglo diez y nueve?
3. ¿Cómo explica Maximiliano su gran desconfianza en Napoleón?
4. ¿Quiénes pueden querer a Maximiliano en México?
5. ¿Han aprendido español los dos amantes?
6. ¿A qué plebiscito se refiere Carlota?
7. ¿En qué aspectos se cruza todo en México?
8. ¿Qué definición de la democracia le da Maximiliano a su esposa?
9. ¿En qué lugares de Europa no ha podido él hacerlo?
10. Según Carlota, ¿cómo van a recibir los mexicanos a los emperadores?
11. ¿Cómo critica ella la raza mexicana?
12. ¿Cómo son todas las razas, según Maximiliano?
13. ¿En qué se reclina Carlota?
14. ¿Cómo apaga Maximiliano las bujías?

B. *Proyectos escritos u orales:*

1. Búsquense todas las oraciones en la segunda escena que indican el carácter ambicioso de Carlota.
2. Búsquense todas las frases en esta escena que muestran el carácter filosófico de Maximiliano.

## [VII]

A. *Escríbanse sinónimos de las palabras siguientes:*

1. significado
2. alcoba
3. leal
4. ligar
5. templo
6. tener un sueño
7. intestino
8. echar abajo
9. gente
10. confuso

B. *Escríbase el tiempo futuro de los verbos que están escritos en bastardillas:*

1. El pueblo me *odiar* a mí.
2. ¿*Aceptar* nosotros la idea de un príncipe extranjero?
3. Otras figuras confusas *quedar* atrás.
4. Mañana *haber* muchas ceremonias.
5. Yo *saber* la verdad del sueño.
6. Juárez *vender* la tierra de México.
7. El gobernante europeo *decir* que sí.
8. Quizás eso *ser* una solución.
9. Usted *tener* que contármelo.
10. Ellos no *poder* llamarme a México para gobernar.

C. *Contéstense a las preguntas siguientes con oraciones completas:*

1. Al levantarse el telón, ¿dónde se encuentran Carlota y Maximiliano?
2. ¿Por qué se acercó Carlota a la puerta de comunicación?
3. Identifíquense los personajes que están en la alcoba de Maximiliano.
4. ¿Qué pasará mañana en la ciudad?
5. ¿Quiénes le inspiran confianza a Maximiliano?
6. ¿De qué origen es el general Miramón?
7. ¿Cuántas veces había sido presidente?
8. ¿Por qué aceptó Miramón la idea de un príncipe extranjero para gobernar?
9. Descífrese el sueño que tuvo el general Miramón.
10. ¿Qué representa la pirámide en el sueño?
11. ¿Qué representa la iglesia?
12. ¿En qué luchas intestinas pensó Miramón?
13. ¿Cree él que los Estados Unidos son una amenaza? ¿Por qué?
14. ¿Piensan muchos mexicanos como Miramón?
15. ¿Qué sabe Maximiliano de Benito Juárez?
16. ¿Por qué no ama el pueblo a Juárez?
17. ¿Qué defectos de Juárez no puede perdonar el pueblo mexicano?
18. ¿Cuántos gobiernos distintos había tenido México en menos de cincuenta años?
19. ¿Por qué cayó el imperio de Iturbide?
20. ¿Qué opina Lacunza de la solución que propone Maximiliano?

21. Si el pueblo odia a los Estados Unidos, ¿cómo puede amar a Juárez?
22. ¿Por qué mataría Miramón a Benito Juárez?
23. ¿Qué quiere decir Maximiliano cuando habla de "la ley del clan"?

D. *Identifíquense estos nombres históricos:*

1. Melchor Ocampo
2. Robert McLane
3. Agustín de Iturbide
4. Antón Lizardo

## [VIII]

A. *Escríbanse sinónimos de las palabras siguientes:*

1. rogar
2. asombro
3. real
4. caos
5. recuerdo
6. igual
7. junto a
8. sensatez
9. esclarecer
10. funesto

B. *Escríbanse oraciones originales empleando las expresiones siguientes de tal modo que se revele el significado de la expresión:*

1. tener miedo
2. estar celoso
3. ahora mismo
4. de vista
5. inclinarse
6. estar enamorado de
7. a lo lejos
8. estar molido
9. correr peligro
10. estar equivocado

C. *Escríbanse los imperativos de los verbos que están escritos en bastardillas:*

1. *Escribir* Ud. una carta a Juárez.
2. *Leer* Uds. las Leyes de Reforma.
3. *Poner* Ud. orden en este caos.
4. No *levantarse* Ud. tan tarde.
5. *Olvidar* Uds. todo eso.
6. No me *llamar* así, Max.
7. *Decir* Uds. que no.
8. Me *hacer* el honor de estar celosa, Carla.

9. *Apagar* Ud. los velones.
10. *Despertarse* Uds. temprano.

D. *Contéstense a las preguntas siguientes con oraciones completas:*

1. ¿Le interesan a Maximiliano los sueños del general Miramón?
2. ¿Qué quiere hacer Maximiliano mañana mismo?
3. ¿Qué les pide él a Lacunza y a Miramón antes de su salida?
4. ¿Quién llama suavemente a la segunda puerta izquierda?
5. ¿Escucha Carlota la conversación de Maximiliano y sus generales?
6. ¿Por qué no podía dormir ella?
7. ¿Está fatigado su marido?
8. ¿Qué planes y esperanzas tiene Carlota para el imperio?
9. ¿Qué le obsesiona a Maximiliano?
10. ¿Qué le dejó una huella profunda?
11. Según Maximiliano, ¿cómo es el cielo mexicano?
12. ¿Qué recordó Carlota al hacer el viaje de Veracruz a México?
13. ¿Por qué dice ella que mataron al hombre?
14. ¿Por qué va a tirar del cordón Maximiliano?
15. ¿Cómo trata de solucionar el asunto Carlota?
16. ¿De qué ha sentido temor Maximiliano?
17. ¿Para qué quiere escribir él a Juárez?
18. ¿De quién no quiere oír hablar nunca más Carlota? ¿Por qué?
19. ¿Según ella, ¿por qué no podrán ser ellos amantes ya nunca?
20. ¿Está celosa ella? ¿Por qué?
21. ¿Le quiere a Maximiliano más que al imperio?
22. ¿Cómo es la canción en italiano que le persigue?
23. ¿Qué le tiene fascinado a Maximiliano?
24. ¿Cuál es el origen de la palabra "Chapultepec"?
25. ¿Cómo van a caminar los Emperadores por el bosque azteca?
26. ¿Qué propone Carlota para no perderle nunca de vista a su esposo?

27. ¿Qué condición le pide ella antes de salir a la terraza?
28. ¿Qué significado importante tiene la frase: "Quizás sea la última vez"?
29. ¿Qué apaga los velones al caer el telón?
30. ¿Qué efecto dramático o simbólico hay en esta acción?

E. *Proyectos escritos u orales:*

¿Qué opina usted de la habilidad del autor al presentar en el primer acto: (1) el ambiente, (2) a los personajes y (3) el problema principal?

## [IX]

A. *Escríbanse sinónimos de las palabras siguientes:*

1. apoyo
2. mercader
3. alimento
4. bestia
5. retraso
6. significar
7. ánimo
8. despreciar
9. cordialidad
10. de nuevo

B. *Escríbanse oraciones originales empleando las expresiones siguientes de tal modo que se revele el significado de la expresión:*

1. en cambio
2. casarse con
3. tener dos caras
4. por parte de
5. perder de vista
6. temblar de cólera
7. de pies a cabeza
8. estar convencido de
9. acabar con
10. alimentarse de

C. *Escríbase el modo subjuntivo de los verbos que están escritos en bastardillas, explicando las razones de su uso:*

1. ¿Quiere usted que yo *admirar* a gentes desharrapadas?
2. Permitidme que *preguntar* a Su Majestad por qué firmó el decreto.
3. No estoy seguro de que el Emperador Napoleón *consentir.*
4. Lo que pretendo es que Su Majestad *hacer* frente a la verdad.
5. Ruego que los soldados *quedarse.*
6. Yo desearía hacer algunas preguntas antes de que ustedes *retirarse.*

7. Siento mucho que Su Majestad *promulgar* el decreto esta mañana.
8. Diré a Su Majestad que no hay que impedir que los soldados *divertirse.*
9. Pido que nosotros *ser* francos.
10. Si el ejército francés *retirarse,* aquí estaríamos para morir por vos, para que nuestra muerte *dar* vida al imperio.
11. Sería preciso que *tener* yo la dudosa fortuna de ser mexicano.
12. Quizás esta actitud *traer* al gobierno a los leales conservadores.
13. Me alegro de que usted *creer* en el amor y en el látigo.
14. Ojalá que él *hablar* libremente.
15. Les digo que no *irse.*

D. *Sustitúyanse las palabras escritas en bastardillas con los debidos pronombres personales, haciéndose los otros cambios que sean necesarios:*

1. Yo cumplo *mis órdenes.*
2. Veo *efectos benéficos* en lo moral.
3. Anule usted *el decreto.*
4. Tengo que esperar *el momento oportuno.*
5. Ella pidió *perdón a los Emperadores.*
6. Usted interpreta mal *mis palabras.*
7. Yo desearía hacer *algunas preguntas al señor Mariscal.*
8. Usted ha sacrificado *a muchos conservadores leales.*
9. Jesucristo tuvo que blandir *el látigo* para arrojar *a los mercaderes* del templo.
10. Bazaine tiene *la mano* en el picaporte.

E. *Contéstense a las preguntas siguientes con oraciones completas:*

1. Al levantarse el telón, ¿qué hacen los Emperadores?
2. Además de ellos, ¿quiénes están en el Salón de Consejo?
3. ¿De qué decreto habla Maximiliano?
4. ¿Qué dice Carlota que agrava la querella entre su esposo y Bazaine?
5. ¿Con quién se casó Bazaine?
6. ¿Qué palabras del Mariscal empujaron a Mejía a llevar la mano al puño de la espada?

7. Según Maximiliano, ¿cuáles son los dos alimentos esenciales del pueblo mexicano?
8. ¿Compartió Labastida la opinión del Emperador?
9. ¿A quiénes ha sacrificado Maximiliano por razones de Estado?
10. Según Bazaine, ¿quiénes hacen política en el asunto mexicano?
11. ¿Cómo son distintos los militares y los de la iglesia, según el Mariscal?
12. ¿Cuáles son las dos caras que tiene cualquier gobierno?
13. Sin una garantía de seguridad, ¿qué va a hacer el Emperador Napoleón?
14. ¿Qué encuentra vergonzoso Bazaine a causa del decreto de Maximiliano?
15. ¿Qué había llamado el Mariscal a los mexicanos que hizo temblar de cólera al general Mejía?
16. ¿Cómo se miden Mejía y Bazaine?
17. ¿Qué dice Bazaine en francés que incita más el enojo de Mejía?
18. ¿Cómo analiza Bazaine su propio carácter?
19. ¿Cree que los soldados franceses deben divertirse?
20. Según Mejía, ¿quién es el único que puede dar órdenes en México?
21. ¿Por qué manda el general Mejía que Bazaine retire sus palabras al Emperador?
22. ¿En qué cree Mejía como soldado?
23. ¿Qué opina Labastida del decreto que promulgó Maximiliano?
24. Explíquese el significado de la frase de Bazaine: "No se hace una tortilla sin romper los huevos."
25. Según Labastida, ¿cómo puede ayudar Carlota a su esposo?

## [X]

A. *Escríbanse sinónimos de las palabras siguientes:*

1. preciso
2. conversar
3. hábil
4. palurdo
5. huir
6. reflexionar

7. enviar
8. arder
9. gradas
10. sollozar

B. *Escríbanse oraciones originales empleando las expresiones siguientes de tal modo que se revele el significado de la expresión:*

1. en todo caso
2. para con
3. estar cubierto de
4. por primera vez
5. acordarse de
6. de algún modo
7. de ciudad en ciudad
8. el hazmerreír
9. poner fin a
10. tener mucho gusto

C. *Indíquense cuáles de las oraciones siguientes indican verdades y cuáles indican mentiras:*

1. El poder ha cubierto el cuerpo de Carlota como una serpiente.
2. La familia de Maximiliano no quiere mucho a Napoleón desde la batalla de Solferino.
3. Según Carlota, la muerte es la otra cara del amor.
4. El indio sería un buen embajador de confianza porque es muy diplomático.
5. Maximiliano va a enviar su versión personal de la situación mexicana al Emperador Napoleón.
6. Labastida dió su anillo a besar a Carlota y a Maximiliano.
7. El Padre Fischer dice que Bazaine es un hombre con intereses humanos.
8. Hoy va a trabajar Maximiliano en sus memorias.
9. A Bismarck le gusta mucho Napoleón.
10. Todavía vive el padre de Carlota.

D. *Escríbase el modo subjuntivo de los verbos que están escritos en bastardillas, explicando las razones de su uso:*

1. Voy a hacer lo que *ser*.
2. Mandemos a alguien que *acabar* con Juárez.
3. No tenemos un hijo que *dar* su vida a la causa.
4. Reñimos como si el poder *ir* a separarnos.
5. Cuando *pasar* esta crisis, nos reuniremos otra vez.
6. No quiero que usted *abdicar*.
7. Nos matarían si ellos *poder* hacerlo.

8. Le ruego que usted *pensar* en una manera de evitar la desunión en nuestras filas.
9. Maximiliano le hace seña de que *hablar*.
10. Yo quería que los mexicanos me *amar*.

E. *Contéstense a las preguntas siguientes con oraciones completas:*

1. ¿Por qué palidece Labastida?
2. ¿A quién va a escribir Bazaine sobre la entrevista?
3. ¿Qué va a llevarle el mismo correo?
4. ¿En qué se apoya Carlota durante la primera parte de la escena?
5. Con el permiso de Maximiliano, ¿qué va a pedir Mejía al Mariscal?
6. ¿Por qué no le da permiso Maximiliano?
7. Según el Padre Fischer, ¿qué efecto tiene la presencia de los Emperadores sobre Bazaine?
8. ¿Por qué no es buen embajador el indio?
9. ¿Quién es Blasio?
10. ¿Qué le manda Maximiliano?
11. ¿Qué no puede soportar más el general Mejía?
12. ¿Quiénes le dicen la verdad a Maximiliano?
13. ¿Qué quiere Maximiliano que Carlota le diga?
14. ¿Qué nombres usa Carlota para expresar su desprecio de Bazaine?
15. Según ella, ¿cómo han pagado el amor de Maximiliano los mexicanos?
16. ¿Qué sintió Maximiliano aún antes de llegar a México?
17. ¿Entre qué clase de gentes están solos los dos?
18. ¿Qué recuerda Carlota de su última noche de amantes?
19. Según ella, ¿cómo es el poder que ha cubierto su cuerpo?
20. Si los Emperadores no le dan a Napoleón lo que él pida, ¿qué hará?
21. ¿Quién puede ayudar más que los austríacos, los alemanes y los belgas?
22. ¿A quién ha vuelto a escribir Maximiliano? ¿Para qué?
23. ¿Qué va a ocurrir si Maximiliano abdica?
24. Según él, ¿cuál será la única forma de salvar su causa?
25. ¿Qué van a hacer los Emperadores mientras arde el imperio?

## [XI]

A. *Escríbanse sinónimos de las palabras siguientes:*

1. pensativo
2. instante
3. libremente
4. cierto
5. erguirse
6. siniestro
7. plebeyo
8. conseguir
9. previo
10. revuelta

B. *Escríbanse oraciones originales empleando las expresiones siguientes de tal modo que se revele el significado de la expresión:*

1. de espaldas
2. cuanto antes
3. de sobra
4. hacer frente
5. al corriente
6. de todos modos
7. en cambio de
8. a la vista
9. de un momento a otro
10. estar cubierto con

C. *Contéstense a las preguntas siguientes con oraciones completas:*

1. ¿Qué representa el salón de la segunda escena?
2. ¿Qué muebles hay en el boudoir?
3. ¿Cómo permanece la Doncella al encender las luces?
4. ¿Qué toma Maximiliano del *secrétaire*?
5. ¿Quién ha escrito esta carta?
6. ¿Qué aspecto tiene Maximiliano al abandonarse en la otomana?
7. Al entrar Carlota, ¿con qué está cubierta?
8. ¿Por qué hace ella un gesto negativo, lleno de desdén?
9. ¿Qué permiso pide Maximiliano a Carlota? ¿Por qué?
10. Al entrar Bazaine, ¿cómo la saluda a Carlota?
11. ¿Qué noticias tiene él para los Emperadores?
12. ¿Qué efecto tienen los informes sobre ellos?
13. ¿Está sorprendido Maximiliano al oír la noticia?
14. ¿Quiénes más la han oído?
15. ¿Tiene Bazaine algo más que decirles?
16. Si los soldados franceses dejan el país, ¿qué va a pasar?
17. ¿Qué van a hacer las turbas?
18. ¿Cómo critica Bazaine el ejército mexicano?
19. Según él, ¿qué va a pasar si Maximiliano se salva?
20. ¿Cómo le aconseja él a Maximiliano? ¿Por qué?

21. ¿Qué deseos e intenciones ha tenido Napoleón en cuanto a México?
22. ¿Cuándo fracasó el ejército francés?
23. ¿Se ha equivocado Napoleón de Maximiliano?
24. ¿Qué no va a hacer Maximiliano mientras viva?
25. ¿Qué le falta a él para declarar la guerra a Francia?
26. Si los franceses le atacaran, ¿quién estaría del lado de Maximiliano?
27. Como Mariscal de Francia, ¿dónde hizo la guerra Bazaine?
28. Como gran político, ¿qué le dijo Napoleón a Bazaine antes de su llegada a México?
29. ¿Por qué se pone colérico Bazaine?
30. ¿Quién va a enviar un ejército a Maximiliano?
31. ¿Cuándo llegará?
32. ¿Cree usted que es una amenaza o que es la verdad?
33. Si llega el ejército austríaco, ¿qué puede ocurrir?
34. ¿Por qué no debe publicar demasiado Bazaine el retiro de las tropas francesas?
35. ¿Qué podría hacer él por su furia?

## [XII]

A. *Escríbanse sinónimos de las palabras siguientes:*

1. lograr
2. indicio
3. inerte
4. partir
5. combate
6. devaneo
7. aborrecimiento
8. grave
9. perecer
10. dubitativo

B. *Escríbanse oraciones originales empleando las expresiones siguientes de tal modo que se revele el significado de la expresión:*

1. contar con
2. mañana mismo
3. de antemano
4. confiar en
5. valer la pena
6. jugar a las cartas
7. desconfiar de
8. ¿Qué te pasa?
9. venir en camino
10. perder la cabeza

C. *Escríbase el modo subjuntivo de los verbos que están escritos en bastardillas, explicando las razones de su uso:*

1. Si los austríacos nos *enviar* soldados, sería la guerra con Francia.
2. Yo quisiera que usted *ver* a Pío IX.
3. Cuando nosotros *estar* seguros, vendrán a reclamar su parte.
4. Le digo que usted no *confiar* en él.
5. Si los ingleses *prestar* dinero, sería en cambio de tierras.
6. Le pido que nosotros no *perder* nuestro imperio.
7. Dicen que usted me *dejar* en libertad de gobernar.
8. Usted no quiere que *parecer* que yo voy a servirle de agente en Europa.
9. ¿Prefiere usted que nosotros *perecer* aquí en México?
10. ¿Desea usted que nosotros *caer* como Luis XVI y María Antonieta?

D. *Contéstense a las preguntas siguientes con oraciones completas:*

1. ¿Viene en camino el ejército de Francisco-José?
2. Cuando un monarca tiene que apoyar su trono sobre bayonetas extranjeras, ¿qué quiere decir esto?
3. ¿Quiénes se atreven contra Napoleón?
4. Si Maximiliano vende la tierra de México, ¿cuál será el resultado?
5. En cuanto a Juárez, ¿qué siente Maximiliano?
6. ¿Por qué no pueden irse de México los Emperadores?
7. ¿Qué va a hacer Carlota mañana mismo?
8. ¿A quiénes va a ver?
9. ¿Qué va a prometerles a todos?
10. ¿Quiere Maximiliano que Carlota haga el viaje a Europa?
11. ¿Quiénes en Europa siguen ambicionando el trono francés?
12. ¿Con quiénes conspirará Carlota en Francia?
13. ¿Cómo le maneja ella a su esposo?
14. Según la gente mexicana, ¿quién gobierna realmente?
15. ¿Desconfía Maximiliano de Carlota?
16. ¿De qué tiene miedo él respecto a su viaje a Europa?
17. ¿A quién quiere que ella vea antes que a nadie?
18. ¿Quién ha estado jugando con cartas dobles?
19. ¿Qué quiere Carlota que su marido haga en su ausencia?

20. ¿Por qué habla ella de Cuernavaca?
21. ¿Por qué mira Maximiliano su reloj?
22. ¿Por cuánto tiempo estará esperándole Carlota?
23. ¿Cómo pasará Maximiliano toda la noche?
24. ¿Qué tiene que hacer Carlota?
25. ¿Dónde se verán ellos?

## [XIII]

A. *Escríbanse sinónimos de las palabras siguientes:*

1. pesar
2. preocupaciones
3. dispuesto
4. ambos
5. superfluo
6. tontería
7. quehaceres
8. diurno
9. penetrar en
10. preparativos

B. *Escríbanse oraciones originales empleando las expresiones siguientes de tal modo que se revele el significado de la expresión:*

1. estar fuera de sí
2. cumplir la palabra
3. a solas
4. estar loco de gusto
5. por supuesto
6. llevar luto
7. tener en jaque
8. a fe mía
9. servir de
10. poner a prueba

C. *Corríjanse las oraciones siguientes que son falsas:*

1. Carlota entra con un tumulto de gasas y volantes y encajería.
2. Napoleón besa a Carlota en ambas mejillas.
3. México ya cuesta a Francia cerca de setecientos millones de pesos.
4. Napoleón hace seña al Duque de retirarse.
5. Bazaine es un soldado malo pero un buen diplomático.
6. Juárez ha robado, saqueado y matado sin escrúpulo.
7. El Mariscal Bazaine ha hecho que los mexicanos amen a Francia, a la que odiaban antes.
8. Feuillet ganó el concurso de ortografía francesa.
9. La pobre Eugenia está loca de gusto desde que vió a Carlota en Madrid.

10. En su traje palpita toda la miseria del imperio de Eugenia.

D. *Escríbase el tiempo condicional de los verbos que están escritos en bastardillas:*

1. Ellos *amar* a Francia.
2. Nosotros no *ser* capaces de una cosa semejante.
3. Eugenia *estar* loca de gusto.
4. Yo *sentirse* feliz.
5. Su Majestad *venir* en seguida.
6. Yo no *poder* sentarme.
7. Ella *decir* otra cosa.
8. El Emperador me *hacer* esperar.
9. Napoleón *tener* graves quehaceres.
10. ¿Quiénes *reír* fuera de escena?

E. *Contéstense a las preguntas siguientes con oraciones completas:*

1. ¿Dónde se desarrolla la acción de la tercera escena?
2. ¿A qué juramento de Maximiliano se refiere Carlota al principio de esta escena?
3. Al entrar el lacayo, ¿qué lleva consigo?
4. ¿Por qué no quiere sentarse Carlota?
5. ¿Qué van a organizar los Emperadores en su honor?
6. ¿Cómo perdona el lacayo la tardanza de Napoleón?
7. ¿Qué se oye fuera de escena?
8. ¿Qué provoca la risa de Napoleón?
9. ¿Cómo saluda él a Carlota?
10. ¿Dónde la había visto Eugenia antes de su llegada a Saint-Cloud?
11. ¿Qué le envidia Napoleón a Maximiliano?
12. Según Bazaine, ¿cómo son las mexicanas?
13. ¿Quiere hablar Carlota en la presencia del Duque?
14. ¿Por qué se queda el Duque en el salón?
15. Descríbase a Eugenia de Montijo.
16. ¿Qué razón le da Carlota a Napoleón por no haber venido a Europa a bailar?
17. ¿Cómo se llamaba el maestro francés de los Emperadores?
18. Según Carlota, ¿con qué se enfrenta su esposo?

19. ¿Quién tiene la culpa?
20. ¿Ordenó Napoleón a Bazaine que se retirara con sus tropas?
21. ¿Por qué lo hizo Napoleón?
22. ¿Por qué no son necesarios los soldados franceses?
23. ¿Por qué dice Napoleón que Bazaine es un pobre diplomático?
24. ¿Cómo le critica Carlota a Bazaine?
25. ¿Qué quiere ella que Napoleón haga?
26. ¿Ha cumplido la palabra Napoleón?
27. Según él, ¿cómo es el amor en Francia?

## [XIV]

A. *Escríbanse sinónimos de las palabras siguientes:*

1. gratuito
2. reposar
3. demonio
4. modales
5. perturbado
6. por dondequiera
7. para con
8. diálogo
9. rogar
10. sentirse avergonzado

B. *Escríbanse oraciones originales empleando las expresiones siguientes de tal modo que se revele el significado de la expresión:*

1. echar de menos
2. ¡Válgame Dios!
3. en cualquier momento
4. pedir de rodillas
5. hace un año
6. poner un cubierto
7. estar rodeado de
8. tener una jaqueca
9. llenarse de
10. estar loco de atar

C. *Sustitúyanse las palabras que están escritas en bastardillas con los debidos pronombres personales, haciéndose los otros cambios que sean necesarios:*

1. Echo de menos *a Morny.*
2. ¿No firmó usted *estas cartas?*
3. Pediré de rodillas *ayuda a Napoleón.*
4. Traiga usted *un vaso de naranjada a Su Majestad,* por favor.
5. El Emperador ofrece *el vaso a Carlota.*
6. Ella deja caer *el vaso.*

7. Tenemos que fomentar *la agricultura y el comercio.*
8. Podemos poner *su cubierto* en las Tullerías.
9. Voy a dar *una dosis de polvos de milagro a la Emperatriz.*
10. Acompañad *a Su Majestad,* querido Duque.

D. *Contéstense a las preguntas siguientes con oraciones completas:*

1. ¿Qué juró Maximiliano conservar y defender?
2. ¿Qué le parece a usted la actitud de Napoleón en cuanto a sus promesas?
3. ¿Qué saca Carlota de su bolso?
4. Al leer los papeles, ¿qué hace Napoleón?
5. ¿Quién pudiera explicar la situación mejor que el Emperador?
6. ¿Por qué no puede hacerlo?
7. ¿Qué le falta al imperio mexicano?
8. Según Napoleón, ¿qué no puede haber esperado Maximiliano?
9. ¿Qué costumbre tiene él que no tiene un Bonaparte?
10. ¿Por qué se acerca Eugenia a Carlota?
11. ¿Qué quiere Napoleón que traiga el Duque?
12. ¿Cuándo prefiere hablar él del asunto con Carlota?
13. ¿Bebe Carlota la naranjada?
14. ¿Qué hace ella con el vaso?
15. ¿Qué proyecto es el que tiende ella a Napoleón?
16. ¿Por qué traicionaría Napoleón a Francia si le diera a Carlota lo que pide ella?
17. Según él, ¿quién tiene más obligaciones para con Maximiliano?
18. ¿Qué solución le ofrece Eugenia a la Emperatriz?
19. ¿Por qué le llama Carlota a Napoleón una canalla?
20. ¿Le duele la cabeza a Carlota?
21. ¿Qué le recomienda Eugenia para la jaqueca?
22. ¿Qué trata de reponer Napoleón sobre los hombros de Carlota?
23. Según ella, ¿quiénes tienen la culpa de todo?
24. ¿Cómo ataca Carlota a Eugenia?
25. ¿Qué insultos echa ella a Napoleón?
26. ¿Por qué propone Napoleón alojar a Carlota en el ala opuesta?

27. ¿Cómo explica él las acciones de Carlota?
28. ¿Qué le ha fastidiado a Napoleón?
29. ¿En qué momento prefiere tener Napoleón el baile español?
30. ¿Qué se siente dentro de la trivialidad del último diálogo?

E. *Proyectos escritos u orales:*

1. Búsquense cinco oraciones en la tercera escena que indican el carácter frívolo de Eugenia de Montijo.
2. Búsquense cinco oraciones en esta escena que muestran la insinceridad de Napoleón III.

## [XV]

A. *Escríbanse sinónimos de las palabras siguientes:*

1. serenidad
2. parecido
3. acudir
4. batirse
5. inquieto
6. preso
7. deberes
8. abrogar
9. cansado
10. barco

B. *Escríbanse oraciones originales empleando las expresiones siguientes de tal modo que se revele el significado de la expresión:*

1. estar de espaldas
2. volverse loco
3. decir que sí
4. tener éxito
5. dar un sorbo
6. ponerse fuera de sí
7. poco a poco
8. al fin
9. estar saturado de
10. ser preciso

C. *Vuélvanse a escribir las oraciones falsas en el ejercicio siguiente:*

1. Carlota se encuentra en la biblioteca particular del Papa Pío IX.
2. Hace cinco años que sufre Carlota la incertidumbre y la duda.
3. Según el Papa, el poder temporal alienta y exalta a los hombres.
4. El Papa estará de frente al público por toda la escena.
5. Carlota está saturada del veneno de Bazaine.

6. El Papa ha luchado contra el dogma de la Inmaculada Concepción.
7. Todas las gentes la miraban a Carlota en el Vaticano como si hubiera estado loca.
8. Según el Papa, él tiene mucha influencia secular entre los reyes y ministros del mundo.
9. El chocolate que le ofrece el Papa a Carlota viene de España.
10. Carlota pide que el Papa rehuse el concordato.

**D.** *Contéstense a las preguntas siguientes con oraciones completas:*

1. ¿Cómo estará el Papa todo el tiempo durante esta escena? ¿Por qué?
2. Según Carlota, ¿qué esperaba Napoleón respecto a Maximiliano?
3. ¿Cómo es la política de los hombres, según Su Santidad?
4. Si Maximiliano quiere salvar a la iglesia católica en México, ¿por qué no quiere abrogar las leyes parecidas a las de Juárez?
5. ¿Qué le ocurre al poder temporal de la iglesia?
6. ¿A qué se abandonan los reyes durante este siglo?
7. ¿Qué le había dicho Maximiliano a Carlota en cuanto al Papa?
8. ¿Cómo son los tronos temporales de la tierra?
9. Según el Papa, ¿por qué es el hombre una sombra?
10. ¿Cómo la habían mirado a Carlota todas las gentes de Saint-Cloud?
11. ¿Qué lleva el Monseñor al entrar?
12. ¿Qué dice él al oído de Su Santidad?
13. ¿Acepta Carlota la taza de chocolate que le tiende el Papa?
14. Al entrar el Cardenal, ¿por qué mueve negativamente la cabeza?
15. ¿Qué le recuerda a Carlota el sabor del chocolate?
16. Si el Papa accediera al concordato, ¿cómo podría ayudar a los Emperadores?
17. ¿Podría aliar Su Santidad a todos los países cristianos de Europa?
18. ¿Adónde tiene que ir todavía Carlota?

19. ¿Adónde va a acompañarla el Cardenal?
20. Al despedirse Carlota del Papa, ¿qué costumbre católica observa ella?

E. *Encuéntrense a lo menos cuatro frases filosóficas del Papa en esta escena y apréndanselas de memoria.*

## [XVI]

A. *Escríbanse sinónimos de las palabras siguientes:*

1. reñir
2. pueril
3. inmiscuir
4. derrocar
5. rumor
6. doloroso
7. suplicar
8. catástrofe
9. servil
10. infortunado

B. *Complétese el grupo siguiente de palabras:*

| | *Verbos* | *Nombres* | *Adjetivos* |
|---|---|---|---|
| 1. | traicionar | ____________ | ____________ |
| 2. | ____________ | alianza | ____________ |
| 3. | ____________ | ____________ | blasfemo |
| 4. | dudar | ____________ | ____________ |
| 5. | ____________ | interés | ____________ |
| 6. | ____________ | ____________ | risible |
| 7. | defender | ____________ | ____________ |
| 8. | ____________ | veneno | ____________ |
| 9. | ____________ | ____________ | comprometedor |
| 10. | engañar | ____________ | ____________ |

C. *Escríbase el tiempo presente perfecto de los verbos que están escritos en bastardillas:*

1. Usted *perjudicar* nuestra causa.
2. Ella cree que nosotros *tener* compromisos con ellos.
3. Yo *decir* que los esbirros me persiguen.
4. Ni ella ni su marido *saber* gobernar.
5. Yo lo *ver* mentir y engañar.
6. Dios *ayudar* a Napoleón, no a Maximiliano.
7. El Papa *hacer* venir a Roma a los monarcas cristianos.
8. Yo sé que *ser* el diablo que nos llevó a México.

9. Ellos *volver* a verlo.
10. ¿Quiénes *abrir* la puerta derecha?

D. *Contéstense a las preguntas siguientes con oraciones completas:*

1. ¿Quiénes la persiguen a Carlota?
2. Según el Papa, ¿le haría daño a ella Napoleón?
3. ¿Por qué los envió Napoleón a México, según Carlota?
4. ¿En qué manera perjudica ella su causa?
5. ¿Qué dice Napoleón a quien quiere oírlo?
6. Según Carlota, ¿por qué se vuelve Napoleón contra ellos?
7. ¿Qué ventajas tiene Napoleón como Emperador de Francia?
8. ¿Qué le suplica Su Santidad a Carlota de no creer?
9. ¿Qué arma tiene Carlota que es la más fuerte de todas?
10. ¿Cómo le explica ella al Papa de qué se trata su causa?
11. ¿Qué explicación nos da Carlota por la duda y hesitación del Papa?
12. ¿Qué hay detrás de cada acto del diablo?
13. Según Carlota, ¿cómo puede reforzar el Papa el poder temporal de la Santa Sede?
14. ¿Por quiénes ha sido minado el poder de la iglesia?
15. ¿Qué pasará si Napoleón sigue gobernando?
16. ¿Cómo define el Papa el odio?
17. ¿Qué habría hecho Napoleón si Carlota le hubiera prometido tierras, oro y plata?
18. ¿Por qué cambian una mirada el Papa y el Cardenal?
19. ¿Qué orden va a dar el Cardenal al séquito de la Emperatriz?
20. ¿Qué efecto crea la acción del Papa al volverse de frente mientras cae el telón?

E. *Proyectos escritos u orales:*

1. ¿Qué le parece a usted la habilidad del dramaturgo al presentar en el segundo acto: (1) a más personajes que sean necesarios para el desarrollo de la intriga, y (2) más situaciones para el enredo del problema principal?

## [XVII]

A. *Escríbanse sinónimos de las palabras siguientes:*

1. amplio
2. colocar
3. despacho
4. callar
5. sortija
6. requerido
7. hundir
8. permanecer
9. demente
10. lentitud

B. *Escríbase el tiempo pasado perfecto o pluscuamperfecto de los verbos que están escritos en bastardillas:*

1. Su Majestad *dormir* a veces con los ojos abiertos.
2. Ella *apretar* los dientes y los labios.
3. ¿Por qué no *traer* ella las luces?
4. Yo *sentarse* en un amplio sillón.
5. El Alienista *poner* el candelabro al otro extremo de la mesa.
6. Ella *buscar* a hurtadillas las provisiones.
7. El médico le *hacer* una seña a la Dama de Honor.
8. ¿No le *escribir* la Emperatriz a su marido?
9. Nosotros no *ver* la gota de sangre en la mano.
10. Ellos *acercarse* a la puerta izquierda.

C. *Contéstense a las preguntas siguientes con oraciones completas:*

1. ¿Dónde tiene lugar la acción de esta escena?
2. ¿Quiénes están en escena?
3. Según la Dama de Honor, ¿cómo duerme a veces Carlota?
4. ¿Por qué se pone ofendida la Dama de Honor?
5. ¿Qué impresión da Carlota cuando cierra los ojos?
6. ¿Con qué motivo pide el Alienista que ella levante la mano derecha?
7. ¿Mueve Carlota el dedo indicado por el Alienista?
8. ¿Qué hace él con el alfiler que había pedido a la Dama de Honor?
9. ¿Qué efecto tiene esto sobre Carlota?
10. ¿Por qué se niega ella a comer y a beber desde que salió de Roma?
11. Según el Chambelán, ¿qué hace Carlota con las provisiones?

12. ¿En quiénes es este instinto normal, según el Alienista?
13. ¿Habla todavía la Emperatriz de su marido?
14. Según clla, ¿adónde tiene que ir?
15. Al pedir luces Carlota, ¿qué hace el Chambelán?
16. ¿Qué hace ella cuando el Alienista pasa el candelabro por delante de sus ojos?
17. ¿Hacia dónde está mirando ella?
18. ¿Reconoce Carlota a todas las personas de su séquito?
19. ¿Los llama por su nombre?
20. ¿Por qué no podía ver Carlota a la familia imperial de Austria?

D. *Escríbanse seis preguntas y sus respuestas sobre la diagnosis de Carlota por el Alienista.*

## [XVIII]

A. *Escríbanse sinónimos de las palabras siguientes:*

1. acceso
2. cuñado
3. retorno
4. sendos
5. progresar
6. etapa
7. incierto
8. estrechamente
9. cólera
10. simultáneamente

B. *Escríbanse oraciones originales empleando las expresiones siguientes de tal modo que se revele el significado de la expresión:*

1. a media voz
2. de un modo
3. más bien
4. estar a oscuras
5. fingir
6. en torno a
7. en efecto
8. de un lado a otro
9. acercarse a
10. coincidir con

C. *Sustitúyanse las palabras escritas en bastardillas con los debidos pronombres personales en las siguientes oraciones, y después escríbanselas en el imperativo afirmativo y negativo:*

1. **Traer** Uds. *las luces a la Emperatriz.*
2. **Poner** Ud. *el candelabro* sobre la consola.
3. **Dar** Ud. *el pañuelo al médico.*
4. **Mover** Ud. *la cabeza* afirmativamente.

5. **Hacer** Ud. *esto* de todos modos.
6. **Decir** Uds. *la verdad al Alienista.*
7. **Mirar** Uds. *el pliego.*
8. **Fijar** Ud. *los ojos* en él.
9. **Escuchar** Uds. *el grito.*
10. **Continuar** Ud. leyendo *las cartas.*

D. *Contéstense a las preguntas siguientes con oraciones completas:*

1. ¿Por qué da Carlota un grito desgarrado?
2. ¿Qué pasa el Alienista por la mano de Carlota?
3. ¿Tiene dolor en efecto ella?
4. ¿Qué le pregunta a Carlota la Dama de Honor, según las órdenes del Alienista?
5. ¿Qué hizo Carlota el otro día que indica accesos frecuentes de cólera?
6. ¿Cuándo se enfada ella?
7. ¿Por qué le hace el Alienista una seña al Chambelán?
8. Según el Alienista, ¿qué noticias han llegado de Su Santidad?
9. ¿Le parece a usted que esto es la verdad?
10. ¿Qué hace Carlota con el papel que pone el Alienista en sus manos?
11. ¿Por qué pone el Alienista el pulgar de la mano izquierda sobre la frente de Carlota?
12. Mientras lo hace él, ¿cómo crece su voz?
13. Al alzar los ojos hacia el Alienista, ¿qué hace Carlota?
14. Con los ojos fijos en ella, ¿qué ejecuta el Alienista?
15. ¿Cuántas preguntas va a hacerle a Carlota?
16. ¿Cómo es la primera pregunta que le hace?
17. Según Carlota, ¿cómo son todas las puertas de Europa?
18. Al levantarse en un gran impulso, ¿qué comienza a hacer ella?
19. ¿Qué palabras sobresalen al bajar su voz?
20. Según el examen del Alienista, ¿de qué instintos ha perdido dominio la Emperatriz?
21. Antes de someterla a un tratamiento, ¿de quién va a necesitar permiso el Alienista?
22. ¿Cómo será el tratamiento?

23. ¿Qué debe decirle el Chambelán a Maximiliano en su carta?
24. ¿En qué etapa de su mal se encuentra Carlota?
25. ¿Recuerda ella que ha pedido las luces?

## [XIX]

A. *Escríbanse sinónimos de las palabras siguientes:*

1. alegre
2. petardos
3. losas
4. dejar
5. agradecer
6. amado
7. rostro
8. cifra
9. pájaro
10 complicar

B. *Escríbanse oraciones originales empleando las expresiones siguientes de tal modo que se revele el significado de la expresión:*

1. olvidarse de
2. allá arriba
3. de nuevo
4. todo el mundo
5. hacer caso
6. una y otra vez
7. hay que
8. querer decir
9. llegar más alto
10. prestar el oído

C. *Identifíquese el acontecimiento histórico que ocurrió en las fechas siguientes:*

1. 1885
2. 1909
3. 1914
4. 11 de noviembre de 1918
5. 1868
6. 1866

D. *Escríbase el tiempo progresivo presente de los verbos que están escritos en bastardillas:*

1. Las campanas *doblar* ahora.
2. ¿Por qué *reír* toda la gente?
3. Ella *erguirse* para escuchar el ruido.
4. Nosotros *decir* que eso es una mentira.
5. Alguien *romper* un jarrón de porcelana.
6. Yo *oír* campanas que no son alegres.
7. Erasmo le *repetir* la cifra.
8. De veras, ellos *mentir*.

9. ¿Por qué no *dormir* bien ella?
10. Ellos *pedir* un compromiso.

E. *Contéstense a las preguntas siguientes con oraciones completas:*

1. ¿Dónde se desarrolla la acción de la segunda escena?
2. ¿Cuántos años tiene Carlota en esta escena?
3. ¿De qué papel con orla de luto habla ella?
4. ¿Qué ruido no la deja pensar?
5. ¿Por qué sonríe su hermano Leopoldo?
6. ¿Qué campanas tristes de 1909 oye ella?
7. ¿Qué parentesco había entre Carlota y Alberto I?
8. ¿A qué se refiere Carlota al hablar de algo que zumba allá arriba?
9. ¿Por qué estaba riendo y corriendo como llamas todo el mundo?
10. ¿Sabe Carlota en qué castillo se encuentra?
11. ¿Qué descubre ella al tratar de mirarse en los cristales?
12. ¿Cómo agita en el aire las manos?
13. ¿Dónde nació Carlota?
14. ¿En qué año salió de México?
15. ¿Por qué manda ella que Erasmo salga en seguida?
16. ¿Por qué no puede irse el historiador?
17. Si él se fuera ahora, ¿qué actitud tendría hacia ella?
18. ¿Por qué puede citar Erasmo la carta que escribió Carlota en 1868?
19. ¿A quién había escrito ella la carta?
20. ¿Qué cualidad de buen historiador muestra Erasmo en esta escena?

## [XX]

A. *Escríbanse sinónimos de las palabras siguientes:*

1. disputar
2. excusar
3. adular
4. avión
5. profundamente
6. espectros
7. dientes
8. nuevamente
9. ganar
10. encontrar

B. *Escríbanse antónimos de las palabras siguientes:*

| | |
|---|---|
| 1. comprador | 6. afirmación |
| 2. asentir | 7. diabólico |
| 3. ganar | 8. largo |
| 4. subir | 9. liberales |
| 5. pesado | 10. encima de |

C. *Identifíquese el acontecimiento histórico que ocurrió en las fechas siguientes:*

| | |
|---|---|
| 1. 19 de junio de 1867 | 6. 1888 |
| 2. 1870 | 7. 1889 |
| 3. 18 de julio de 1872 | 8. 1898 |
| 4. 1873 | 9. 1901 |
| 5. 1878 | 10. 1916 |

D. *Contéstense a las preguntas siguientes con oraciones completas:*

1. ¿En qué lugar murió Maximiliano?
2. ¿Qué le pasó a Napoleón III antes de morir?
3. ¿Qué frase filosófica del Papa recuerda Carlota al pensar en la muerte de Napoleón?
4. Descríbase lo que le pasó al Mariscal Bazaine.
5. ¿Qué clase de gobierno tienen Austria, Alemania y Francia durante esta época?
6. ¿Qué clase de ideas profesaba Rodolfo, hijo de Francisco José?
7. ¿Quién pronunció en otra parte del drama esta misma idea: "Quizá también él necesitó apoyar su trono sobre bayonetas extranjeras"?
8. ¿A qué edad murió la reina Victoria?
9. ¿Quiénes ganaron la guerra contra Austria y Alemania en 1918?
10. ¿Cuántos años hace que murió la Emperatriz Eugenia?
11. ¿Puede comprender Carlota por qué ha sobrevivido ella a todos?
12. ¿Por qué cree ella que era mejor no saber nada de la muerte de sus contemporáneos?
13. ¿Cuántos años después de la muerte de Maximiliano ocurrió la de Benito Juárez?
14. ¿Por qué creía Carlota que Erasmo era Benito Juárez?

15. ¿Cómo explica Erasmo los zumbidos en el cielo de Bélgica?
16. ¿Qué recuerda Carlota de su niñez que la asustó?
17. Según Erasmo, ¿por qué son los hombres de hoy como los de ayer?
18. ¿Qué preguntas se han hecho los que han sobrevivido a Carlota?
19. ¿Por cuántos años ha llevado ella la corona de sombra?
20. ¿Qué le deletrea la mirada de Erasmo a Carlota?
21. ¿Cómo le explica Erasmo su fin como historiador?
22. ¿Qué hacían los pintores al pintar a Carlota?
23. ¿Ha encontrado Erasmo una nueva verdad para la historia de México?
24. Antes de irse, ¿qué quiere Carlota que él le diga?

## [XXI]

A. *Escríbanse oraciones originales empleando las expresiones siguientes de tal modo que se revele el significado de la expresión:*

1. por lo menos
2. estar seguro de
3. sírvanse Uds.
4. rara vez
5. hacer otro tanto
6. cuidar de
7. a propósito
8. a semejanza de
9. estar a sus órdenes
10. a mi manera

B. *Sustitúyanse las palabras escritas en bastardillas con los pronombres posesivos correspondientes:*

1. No sé si ella podrá leer *mi carta.*
2. Los tres encienden *sus cigarros puros.*
3. Te escribo para decirte que cuides de *tu muerte.*
4. Quisiera escuchar *su opinión.*
5. Ustedes van a cumplir *su deber.*
6. No nos vendaremos *nuestros ojos.*
7. ¿Han escrito Uds. a *sus hijos?*
8. El trató de ocultar *su retrato.*
9. Dígame cómo murió *mi esposo.*
10. Ella rompió *su jarrón de porcelana.*

C. *Contéstense a las preguntas siguientes con oraciones completas:*

1. ¿Dónde tiene lugar la acción de esta escena?
2. ¿Qué hace Maximiliano al levantarse el telón?
3. ¿A quién deja entrar en la celda el centinela?
4. ¿Han escrito cartas a su familia los generales Miramón y Mejía?
5. ¿Sabe Maximiliano que Carlota está enferma?
6. ¿Qué quiere él que los dos generales escuchen?
7. ¿Tuvo hijos Maximiliano?
8. ¿Qué va a echar de menos?
9. Según la carta del Emperador, ¿por qué a veces es tan absurdo el hombre?
10. ¿Por qué debe cuidar de su muerte el *hijo* de Maximiliano?
11. ¿Por qué es dulce morir por México?
12. Después de leer la carta, ¿qué hace Maximiliano con ella?
13. ¿Qué filosofía nos da poco antes de su muerte?
14. ¿Qué actitud tiene el general Mejía hacia la muerte?
15. ¿Cómo analiza Maximiliano el sueño de la pirámide que Miramón le contó en una escena anterior?
16. Según Maximiliano, ¿cuál es el único modo de dar a veces su forma verdadera a las cosas?
17. Si hubiera vencido a Juárez, ¿qué habría hecho? ¿Por qué?
18. ¿Ha sido Maximiliano un hombre valiente por toda su vida?
19. ¿Por qué tiene miedo ahora?
20. ¿Cómo son los pueblos, según Mejía?
21. ¿Cuáles son los dos puntos que explican la preocupación del Emperador?
22. ¿Qué había hecho Miguel López?
23. ¿Cómo le defiende Maximiliano?
24. ¿Qué se oye afuera al entrar el Capitán?
25. ¿Qué pone Maximiliano en las manos de él?
26. ¿Qué dice el Emperador para los oídos de Carlota antes de dejar la celda?
27. En las últimas palabras de Maximiliano, ¿cómo se despide de la vida?

28. ¿Qué respetó él durante los tres años de gobierno del imperio?
29. ¿Qué regala a los soldados?
30. ¿Qué ruega que los soldados hagan?

D. *Proyectos escritos u orales:*

1. Hágase un análisis de esta idea filosófica de Maximiliano: "Pero ahora sé que el mar se parece demasiado a la tierra, tal como la misión de la vida es llevar al hombre a la muerte."
2. Escríbase en forma breve la vieja tradición funeral que Maximiliano les cuenta a sus generales.

## [XXII]

A. *Contéstense a las preguntas siguientes con oraciones completas:*

1. ¿Cuándo reaparece el salón de la izquierda en esta escena?
2. ¿Qué estalla a lo lejos al levantarse el telón?
3. ¿Qué hace Carlota al oírlo?
4. ¿La odia todavía Erasmo a Carlota?
5. ¿Cuántos años hace que Maximiliano espera a Carlota?
6. Según el historiador, ¿qué debe decirle ella a Maximiliano?
7. ¿Cuándo acabará la revolución en México, según Erasmo?
8. ¿Quién fué el presidente mexicano en 1927?
9. ¿Cómo le explica a Carlota el historiador la actitud del pueblo hacia sus gobernantes?
10. ¿Qué habría ocurrido si Maximiliano no se hubiera interpuesto en México?
11. ¿Por qué insiste Etienne que el profesor Ramírez se marche?
12. Según Carlota, ¿qué pasaría si fuera posible volver a vivir la vida?
13. ¿Por qué mira Erasmo su manga izquierda?
14. Antes de recoger sus objetos, ¿qué hace él?
15. ¿Cómo se reclina Carlota en el respaldo del sillón?
16. ¿Qué hace el Doctor al acercarse a ella?

17. ¿Qué significado simbólico tiene el descorrer de las cortinas por el médico?
18. ¿Quién aparece en el umbral de la puerta al caer el telón?
19. Cuando llora la Dama de Compañía, ¿qué hace al mismo tiempo?
20. ¿Qué hacen todos lentamente mientras cae el telón?

B. *Proyectos escritos u orales:*

¿Qué opina usted de la habilidad del autor al presentar en el tercer acto: (1) el desenlace de la intriga y (2) la solución del problema?

# Proyectos Generales

I. *¿Qué opina usted de estas dos actitudes románticas del amor:* (1) Maximiliano se resignó a conquistar un imperio para su esposa Carlota, y (2) Eduardo VIII renunció a un imperio por su esposa Wally Simpson?

II. *¿Qué opina usted de estos dos elementos de la tragedia mexicana:* (1) el complejo de ambición de Carlota, y (2) el complejo de amor de Maximiliano?

III. *Hágase un resumen breve del argumento de la comedia.*

IV. *Prepárese una crítica de la obra desde los siguientes puntos de vista:* (1) el tema o asunto, (2) los personajes, (3) el ambiente o la escenografía, (4) las ideas o los sentimientos, (5) el estilo, (6) la estructura y (7) su juicio final.

V. *Analícese la situación siguiente:* ¿Quién tiene más culpa por el asesinato de Maximiliano? *Hágase una lista por orden de responsabilidad de los culpables, justificando sus razones:*

1. Carlota por su ambición y orgullo.
2. Maximiliano por su fe ciega y amor.
3. El Mariscal Bazaine por su crueldad y falta de escrúpulos.
4. El Papa Pío IX por su actitud dogmática hacia el poder pontifical.
5. Benito Juárez por su odio de lo extranjero.
6. Napoleón III por su debilidad de carácter y traición.
7. Eugenia de Montijo por su ambición y dominio de su esposo.
8. El pueblo mexicano por su actitud hacia el aislamiento.

# VOCABULARIO

ABBREVIATIONS:

*adj.* adjective
*adv.* adverb
*arch.* architecture
*coll.* colloquial
*conj.* conjunction
*eccl.* ecclesiastical
*f.* feminine
*inf.* infinitive
*interj.* interjection
*m.* masculine
*Mex.* Mexican
*mil.* military
*n.* noun
*neut.* neuter
*p.p.* past participle
*pl.* plural
*pres. p.* present participle
*pron.* pronoun
*sing.* singular

From this Vocabulary the following items have been omitted: regular forms of verbs and irregular forms of the most commonly used verbs; regular past participles provided the infinitive is given; personal pronoun objects, reflexive and subject pronouns; some proper names that require no translation or explanation. Otherwise, the vocabulary is intended to be complete. Idiomatic expressions are listed under the key word of the idiom. If the gender of nouns does not appear, those nouns ending in *-o* are masculine and those ending in *-a, -ión, -dad, -ez, -tad, -tud* and *-umbre* are feminine. In the case of adjectives, only the masculine form is given, unless the feminine is irregularly formed. Radical-changing verbs are indicated in parentheses after the infinitive in the following way: Class I: *cerrar* (*ie*), *contar* (*ue*); Class II: *sentir* (*ie, i*), *morir* (*ue, u*); Class III: *pedir* (*i*). Prepositions that generally accompany certain verbs are given in parentheses after the infinitive or after past participles if shown separately. The dash (—) is used to refer to the first entry.

**abajo** below
**abandonar** to abandon, give up; to despair
**abanicar** to fan
**abatimiento** depression; low spirits
**abdicación** abdication
**abdicar** to abdicate
**abierto** (*p.p. of* **abrir**) open, opened
**abismo** abyss, gulf, chasm
**aborrecimiento** abhorrence, hate; dislike; grudge
**abrir** to open
**abrogar** to abrogate, annul, repeal
**abrumar** to crush, overwhelm, oppress; to weary, annoy
**absoluto** absolute
**absorber** to absorb, imbibe
**abstener** to abstain, forbear
**abstraído** retired; absent-minded
**absurdo** absurd, ridiculous
**abuelo** grandfather
**abusar (de)** to abuse
**acabar** to end, finish, eliminate; — **con** to do away with
**academia** academy
**acaecer** to happen, come to pass
**acariciar** to caress, stroke
**acarrear** to cause; to occasion
**acaso** perhaps
**acatar** to respect
**acceder** to consent
**acceso** access; attack, fit
**accidentado** troubled, agitated; also undulating
**acción** action; feat
**acechar** to lie in ambush for; to spy on
**aceite** *m.* olive oil; petroleum, oil; — **alcanforado** oil of camphor
**aceptación** acceptation, acceptance, approbation
**aceptar** to accept
**acercar** to move (bring) near; —**se (a)** to approach, draw near
**acertar (ie)** to hit the mark; to succeed in; to guess (something)
**acertijo** riddle, conundrum
**aclarar** to clear up, ascertain
**acometer** to attack; to undertake
**acomodar** to accommodate, arrange a place for
**acompañar** to accompany, go with; **acompañado de** accompanied by
**aconsejar** to advise
**acontecimiento** event, happening
**acordarse (ue) (de)** to remember
**acostar (ue)** to lay down; to put to bed; —**se** to go to bed, lie down
**acostumbrar (se) a** to be accustomed to
**actitud** attitude
**acto** act, action; **en el** — immediately
**actual** current, present, of the present time
**acudir** to be present frequently; to attend; to respond (to a call)
**acuerdo** agreement; resolution; determination; **ponerse de** — to agree; **de** — **con** in agreement with, in accordance with
**acusación** accusation
**acusar** to accuse
**adaptar** to adapt, fit
**adelantar** to bring closer, advance, move forward; —**se** to step forward, move ahead of, to take the lead
**adelante** forward, up ahead; **más** — later
**ademán** *m.* gesture, movement; attitude

**además (de)** besides
**adentrar** to penetrate
**adentro** inside
**adiós** good-bye
**adivinar** to guess
**adjetivo** adjective
**admirar** to admire; **—se** to wonder
**admitir** to admit
**adoptar** to adopt
**adorar** to adore
**adosar** to cling to, stick to (as a wall)
**adular** to flatter
**advenedizo** foreign, foreigner; immigrant; upstart
**advertir (ie, i)** to advise; to warn
**aeronaútica** aeronautics
**aerostático** aerostatic, pertaining to a balloon or dirigible; **globo —** balloon
**afamado** celebrated, noted, famous
**afán** *m.* eagerness, anxiety
**afectar** to affect, have an effect on
**aficionado** amateur; fan
**afirmación** affirmation, statement
**afirmativo** affirmative
**afligirse** to grieve; to become despondent
**afuera** outside
**afueras** suburbs, environs
**agente** *m.* agent; solicitor
**agigantar** to make gigantic
**agitadamente** excitedly
**agitado** agitated, stirred, ruffled
**agitar** to shake, wave; **—se** to get excited
**agosto** August
**agotar** to exhaust, drain off
**agradable** agreeable, pleasing, pleasant
**agradar** to please, like; to be pleasing
**agradecer** to thank for; to be grateful for
**agravar** to aggravate
**agricultura** agriculture
**agrupar** to group; to cluster
**agua** (*f. but* **el**) water
**aguantar** to bear, put up with
**aguardar** to wait (for)
**¡ah!** oh! ah! (*interj. expressing surprise*)
**ahí** there
**ahogar** to stifle; choke; drown out
**ahora** now; **— mismo** right now
**ahorcar** to hang
**ahuehuete** *m.* a Mexican coniferous tree like a cypress
**aire** *m.* air
**aislado** apart, isolated
**aislamiento** isolationism
**aislar** to isolate
**ajado** crumpled, rumpled
**al (a + el)** at the, to the; **—** + *inf.* upon + *pres. p.*
**ala** (*f. but* **el**) wing
**Alcalá de Henares** town in central Spain near Madrid where Cervantes was born and where the famous university by the same name was located
**alcanzar** to overtake, reach, attain, get
**alcoba** bedroom
**alcohol** *m.* alcohol
**alegrarse** to be happy, glad
**alegre** happy, merry, joyful, gay
**alegría** happiness
**alejar** to take away, send away; **—se** to move away
**alemán** *m.* German
**Alemania** Germany
**alentar (ie)** to encourage; to inspire
**alfiler** *m.* pin
**algo** something; somewhat; **por —** with reason, rightfully
**algodón** *m.* cotton
**alguien** someone, somebody

**algún** *used for* **alguno** *before a m. sing. n.*
**alguno** some, any
**aliado** ally
**alianza** alliance, agreement, pact
**aliar(se)** to form an alliance; to ally; to become allied
**alienista** *m.* alienist, doctor of mental illnesses, psychiatrist
**aliento** breath
**alimentar** to feed
**alimentos** food
**aliviar** to alleviate, relieve, ease, lighten, make better
**alivio** relief
**alma** (*f. but* **el**) soul
**almácigo** mastic
**alojar** to lodge
**alrededor** around, about; — **de** around
**altanero** haughty, arrogant, insolent
**alterar** to alter, change, transform
**alternativamente** alternatively
**altivo** proud, haughty
**alto** high, tall; important; exalted; upper; **a lo — de** to the top of; **por lo —** up high; **en —** up high; **en voz alta** aloud, out loud
**altura** altitude, height, loftiness
**alucinar** to dazzle, fascinate, delude
**aludir** to allude, refer
**alumbrar** to light up, illuminate; to enlighten, instruct
**alzar** to raise; **—se** to rebel, rise up
**allá** there; **más —** farther; **más — de** beyond
**allí** there; **por —** over there, around there
**amable** kind, friendly
**amanecer** to dawn; — *m.* dawn, daybreak
**amante** (*m. and f.*) lover
**amar** to love
**amargo** bitter
**amargura** bitterness
**ambición** ambition, desire
**ambicionar** to seek eagerly; to aspire to; to covet
**ambicioso** ambitious; greedy
**ambiente** *m.* atmosphere, ambient, environment
**ambos** both
**amenaza** threat; menace
**amenazar** to menace; to threaten
**americano** American
**amigo** friend
**amistad** friendship
**amistoso** friendly, amicable
**amnistía** amnesty
**amo** master
**amor** *m.* love
**ampliamente** largely, copiously, amply
**amplio** ample, roomy, extensive, large
**amplitud** extent, largeness, fullness
**ampolleta** small vial
**anacronismo** anachronism
**análisis** (*m. or f.*) analysis
**analizar** to analyze
**análogo** analogous
**anciano** old, elderly, elder
**andar** to walk, go (along)
**anexar** to annex
**anexión** annexation
**ángel** *m.* angel
**angustia** anguish, affliction, distress
**anillo** ring
**animal** *m.* animal
**ánimo** spirit, courage
**anoche** last night
**anotación** annotation, note
**ansiedad** anxiety
**ante** before
**antemano: de —** beforehand

**anterior** anterior, former, preceding
**antes (de)** before, previously
**anticuado** antiquated
**antiguo** ancient, old; antique
**antihistórico** antihistorical
**antónimo** antonym
**antorcha** torch, flambeau
**anular** to annul, make void
**anunciar** to announce
**añadir** to add
**año** year; **el — pasado** last year
**apagar** to extinguish, put out
**aparecer** to appear
**aparente** apparent, not real
**aparición** appearance
**apariencia** appearance; **en —** apparently, outwardly
**apartar** to retire, withdraw; to separate, divide; to remove
**aparte** different, another, other
**apelar** to appeal, have recourse to
**apellido** surname, family name
**apenas** hardly, barely
**apetito** appetite
**aplicar** to apply
**apoderarse de** to take possession of, seize
**aportar** to cause, bring
**apoyar** to support, brace; **—se** to lean
**apoyo** support
**aprender** to learn; **— de memoria** to memorize
**aprensión** apprehension, capture
**apresurarse a** to hasten to
**apretar (ie)** to tighten, squeeze, clench
**aprobar (ue)** to approve
**aproximarse a** to approach
**apuntar** to note down; to aim, take aim
**aquel, aquella** that; **aquellos, aquellas** those
**aquél, aquélla** that one; he; the former; **aquéllos, aquéllas** those
**aquí** here
**árbol** *m.* tree
**archiduque** *m.* archduke
**arder(se)** to burn
**argumento** summary; plot (*of a play, etc.*)
**aristotélico** Aristotelian, pertaining to Aristotle
**arma** (*f. but* **el**) weapon, arm
**armario** wardrobe; closet
**armisticio** armistice
**arzobispo** archbishop
**arrancar** to pull out, tear away
**arrastrar** to drag
**arreglar** to arrange, settle
**arreglo** arrangement; rule, order; **con — a** according to, in accordance with
**arrepentirse (ie, i)** to repent, be sorry
**arriba** above
**arrodillarse** to kneel down
**arrogancia** arrogance, haughtiness
**arrogante** arrogant, haughty, proud
**arrojar** to throw, cast out
**arrugar** to wrinkle; to crumple, rumple
**arrullar** to lull; to bill and coo
**arte** (*m. and f. but* **el**) art; skill; craft
**articular** to articulate
**artículo** article
**asaltar** to assault, attack, come upon
**asalto** assault, attack
**asamblea** assembly
**ascender (ie)** to ascend, climb, mount
**asegurar** to assure, affirm;**—se de** to make sure
**asentir (ie, i)** to agree, assent
**asesinar** to assassinate, kill, murder

**asesinato** assassination, murder
**asfixiar** to asphyxiate, suffocate
**así** thus, so, in this way; — **como** just as; — **que** as soon as
**asir** to grasp, seize
**asistir** to attend, be present
**asomar a, por** to look out of; to peep into
**asombro** astonishment, amazement
**aspecto** aspect, look; appearance
**asquerosamente** loathsomely, basely
**asunto** affair; subject, matter
**asustar** to frighten
**atacar** to attack
**ataque** *m.* attack
**atar** to tie, bind; **loco de** — fit to be tied; stark mad
**atardecer** *m.* late afternoon
**atención** attention
**atender (ie)** to attend to, take care of
**atentado** attack, offense
**atentamente** attentively
**atentar (ie)** to attempt
**atento** attentive
**aterrador** terrifying
**atisbar** to scrutinize; to pry, watch
**atraer** to attract, bring on
**atrás** behind, in back, past, ago; **de tiempo** — for a long time
**atreverse (a)** to dare (to)
**atribuir** to attribute, ascribe
**atrocidad** atrocity
**atroz** atrocious
**atrozmente** atrociously; enormously
**audible** audible
**aumentar** to increase
**aun** (*written and pronounced* **aún** *when stressed*) still, even, yet
**aunque** although, even though
**ausencia** absence
**ausente** absent
**austríaco** Austrian
**autor** *m.* author
**autoridad** authority
**autorizar** to authorize, empower; to approve
**avenida** avenue
**aventura** adventure
**avergonzar (ue)** to shame, abash, confound; to be ashamed
**averiguar** to ascertain
**avión** *m.* airplane
**avisar** to notify, inform
**ayer** yesterday
**ayuda** help, aid, assistance
**ayudar** to help, aid
**azar** *m.* unforeseen disaster, accident; chance
**azorar** to terrify, excite; **con azoro** upset
**azteca** (*m. and f.*) Aztec
**azul** blue

**bailar** to dance
**bailarín** *m.* dancer
**baile** *m.* dance
**bajar** to go down; to lower
**bajito** very low
**bajo** under, beneath, low, down
**balcón** *m.* balcony
**bandera** flag
**baño** bath; bathroom
**barba** beard; chin; —**s** beard
**barco** ship, boat
**baronesa** baroness
**base** *f.* base; basis
**básico** basic, fundamental
**bastante** enough; rather; —**s** several, many
**bastar** to be enough, be sufficient
**bastardillas** italics
**bastón** *m.* cane
**bata** dressing grown; smoking jacket
**batalla** battle
**batir** to beat; —**se** to fight
**bayoneta** bayonet

**bearnés** *m.* Bearnese, a person from Berne, Switzerland
**beber** to drink; **—se** to drink up
**bedel** *m.* beadle, warden
**Beirut** capital of Lebanon
**belga** (*m. and f.*) Belgian
**Bélgica** Belgium
**belleza** beauty
**bellísimo** very beautiful
**bello** beautiful
**bendición** benediction, blessing
**beneficio** benefit, profits; kindness, benefaction
**benéfico** beneficient, charitable, kind
**besar** to kiss
**bestia** beast
**bestial** bestial, brutal
**biblioteca** library
**biblotecario** librarian
**bien** well, good; very; **más —** rather; **pues —** well then; **—** *m.* welfare; **bienes** wealth, property, possessions
**bienestar** *m.* prosperity
**bigote(s)** *m.* moustache
**billete** *m.* bill
**Bizet** French composer (1838–1875), chiefly known for his opera *Carmen*
**blanco** white
**blandir** to brandish, wave
**blasfemar** to blaspheme
**blasfematorio** blasphemous
**blasfemia** blasphemy, grave insult
**blasfemo** blasphemer; blasphemous
**boca** mouth
**boda** wedding, nuptials
**bolsa** bag, pouch
**bolso** purse of money, moneybag
**bondad** kindness; **tenga la — de** ... please . . .
**bonito** pretty, fine, nice
**borrón** *m.* blot, blur, blemish, stain
**borroso** blurred, faded
**bosque** *m.* forest, woods
**boudoir** *m.* boudoir
**brazo** arm
**breve** short, brief
**brevemente** briefly
**brillante** brilliant, bright, shining
**brillo** brilliance, brightness
**brisa** breeze
**broma** jest, joke
**brotar** to sprout, bud, spring forth
**bruscamente** rudely, harshly
**buen** (*used for* **bueno** *before a m. sing. n.*)
**bueno** good
**bujía** candle; candlestick
**bula** papal bull
**burgués** *m.* bourgeois; characteristic of the middle classes
**burla** mockery, joke
**buscar** to look for

**cabalgata** cavalcade
**caballero** gentleman
**cabellera** head of hair
**cabello** hair
**caber** to be room for; to fit
**cabeza** head; **de pies a —** from head to foot
**cabo** end; **al — de** at the end of
**cada** each, every
**caer** to fall; **—se** to fall down
**caída** fall; downfall
**calceta** hose, stocking; **hacer —** to knit
**calcular** to calculate, compute, estimate
**cálculo** calculation; conjecture
**calidad** quality
**calma** calm, tranquility
**calmar** to calm
**calumnia** slander, lie, malicious gossip
**calumnioso** slanderous
**callar** to silence; **—se** to be silent

**cama** bed
**cámara** chamber; — **de Diputados** Chamber of Deputies; House of Representatives
**cambiar** to change; to barter; to exchange
**cambio** change; **a — de** in exchange for; **en** — on the other hand; in exchange
**caminar** to travel, move, go, walk
**camino** road, path; way; **ponerse en** — to start out
**campana** bell
**campaña** campaign
**campo** field; country; **a — abierto** in the open
**canalla** rabble; mean, despicable person
**cáncer** *m.* cancer
**canciller** *m.* chancellor
**canción** song
**candelabro** candelabrum
**cansado** tired
**cantar** to sing
**canto** song; singing; chant
**cañón** *m.* cannon, gun
**caos** *m.* chaos
**capaz** capable, able
**capelo** cardinal's hat or office
**capital** *m.* capital (money); *f.* capital city
**capitán** *m.* captain
**capitular** to capitulate; — *m.* capitular, member of a chapter; *adj.* capitulary
**capricho** caprice, whim, fancy
**capturar** to capture; to arrest, apprehend
**Capuchino** Capuchin (monk, nun)
**cara** face
**carácter** *m.* character
**cardenal** *m.* cardinal
**cardenalicio** pertaining to a cardinal
**carey** *m.* tortoise shell
**cargador** *m.* carrier; freighter; shipper
**cargar** to load, fill; to carry; to charge;— **con** to carry (off)
**cargo** office, post, position, ministry; duty, obligation; **hacerse — de** to take charge of
**carillón** *m.* carillon
**carlista** *m.* Carlist, a partisan of Don Carlos María Isidro de Borbón, pretender to the throne of Spain
**carrera** course; race; career; **a la** — at full speed
**carta** letter; **jugar a las —s** to play cards
**cartera** portfolio, notecase; pocketbook, wallet
**casa** house, home; **en** — at home
**casar(se)** to marry; — **con** to get married to
**cascada** cascade, waterfall, cataract
**casi** almost
**caso** case; **hacer — de** to pay attention to
**casta** caste, race, breed; clan
**castaña** chestnut
**castellano** Castilian, Spaniard, Spanish
**castigo** punishment; penalty; reproach
**castillo** castle
**catástrofe** *f.* catastrophe, disaster
**catolicismo** Catholicism
**católico** Catholic
**causa** cause, reason; **a — de** because of
**causar** to cause
**cautela** caution
**cazurro** taciturn, sulky, sullen
**ceder** to yield, cede, give in, submit
**celda** cell
**celebrado** celebrated, renowned

**celebrar** to celebrate; to hold (formal meeting); — **un tratado** to make a treaty
**célebre** famous, renowned
**celos** jealousy; suspicions; **tener** — (de) to be jealous (of)
**celoso** jealous; suspicious
**ceniza** ash
**centinela** (*m. and f.*) sentry, sentinel
**centro** center
**cepillo** brush
**cerca** near; — **de** near, nearby
**cerebro** brain
**ceremonia** ceremony
**cerillo** match
**cerrar (ie)** to close
**cerro** hill
**ciego** blind
**cielo** sky, heaven
**cien** (*used for* **ciento** *before a modified noun*)
**ciencia** science; knowledge
**ciento** hundred; **por** — percent
**ciertamente** certainly, surely
**cierto** certain, true; **por** — to be sure, certainly
**cifra** figure, number
**cigarro** cigar; (in some places) cigarette; — **puro** cigar
**cima** peak, top, tower
**cinco** five
**cincuenta** fifty
**cinta** ribbon; tape, band; sash
**cintura** waist
**círculo** circle; group
**cita** appointment, engagement, date; summons, citation
**citar** to make an appointment with; to summon; to quote
**ciudad** city; **de — en —** from city to city
**civil** civil
**civilizar** to civilize
**clan** *m.* clan
**claramente** clearly
**claridad** light; **con** — clearly
**claro** clear, distinct; of course
**clase** *f.* class, kind
**clavar** to nail, drive in, fix, fasten in
**clero** clergy
**clima** *m.* climate
**cobardía** cowardice
**cobrar** to collect, regain; to gather
**codicioso** greedy
**coger** to catch, grab, take
**coincidir** to coincide
**cojín** *m.* cushion, pillow
**colega** *m.* colleague
**cólera** anger
**colérico** angry; wrathful
**colgar (ue)** to hang
**colmar (de)** to heap with, fill to the brim (with)
**colmo** limit
**colocar** to arrange, put in due place or order; to place
**colonia** colony
**color** *m.* color
**comandancia** command; office; province or district of a commander
**comandante** *m.* commander, commandant, major
**combate** *m.* combat, fight
**combinación** combination
**comedia** comedy; play, drama
**comentar** to comment
**comenzar (ie)** to begin
**comer** to eat; **—se** to eat up
**comercio** commerce
**cometer** to commit
**como** as (if), like; **así** — just as
**¿cómo?** how? why? what?
**compadecer** to pity, sympathize with
**compartir** to divide into equal parts; to share
**compasión** compassion, pity, sympathy
**complejo** complex

**completamente** completely
**completar** to complete
**completo** complete, full; absolute
**complicar** to complicate
**componer** to compose
**comprador** *m.* buyer; purchaser; shopper
**comprar** to buy
**comprender** to understand, realize
**comprometedor** compromising, jeopardizing; one that compromises
**comprometer** to compromise, arbitrate
**compromiso** compromise; difficult situation; obligation
**compuesto** (*p.p. of* **componer**) compound; composed
**común** common
**comunicación** communication, message
**comunicar** to communicate; to connect; — **con** to lead into
**con** with; **para** — towards, to, for
**conceder** to concede, grant, give
**concepción** conception, act of conceiving
**concepto** concept, thought, idea
**concesión** concession
**conciencia** conscience
**conciliación** conciliation
**concilio** council; collection of decrees
**conciudadano** fellow citizen, countryman
**concordato** concordat, covenant made by a government with the Pope
**concurso** concourse, confluence of persons; competitive contest
**condado** county, earldom
**conde** *m.* count
**condenar** to condemn
**condesa** countess
**condición** condition
**condicional** conditional
**conducir** to lead, direct; to carry, transport
**conferir (ie, i)** to confer, give, bestow, award
**confesar (ie)** to confess
**confesión** confession
**confianza** confidence
**confiar en** to trust in
**conflicto** conflict
**confundir** to confuse
**confusión** confusion
**confuso** confused; ambiguous
**Congo** a territory in equatorial Africa known as the Belgian Congo
**congreso** congress, assembly
**conmigo** with me
**conmover (ue)** to move emotionally, excite
**conmutar** to commute; to exchange, barter
**conocer** to know, recognize; to meet; to be acquainted with
**conocido** prominent, well known; acquaintance
**conocimiento** knowledge
**conque** so then, and so
**conquista** conquest
**conquistador** *m.* conqueror
**conquistar** to conquer, win over
**consagrar** to consecrate, make sacred
**consecuencia** consequence; inference; issue
**conseguir (i)** to obtain; to succeed in
**consejo** council; counsel, advice; — **de guerra** court-martial; council of war
**consentir (ie, i)** to consent; to allow; — **en** to consent to
**conservador** conservative
**conservar** to conserve, keep
**considerar** to consider, think over; to treat with respect
**consigo** with himself, herself, yourself, themselves

**consiguiente** consequent; **por —** therefore
**consistir** to consist
**consola** console, pier table
**consolar (ue)** to console, comfort, cheer
**conspiración** conspiracy
**conspirar** to conspire, plot
**constar** to be evident, clear; to be a matter of record; **— de** to be composed of, consist of
**constitución** constitution
**constitucional** constitutional
**constitucionalismo** constitutionalism
**consuelo** consolation, comfort
**consumar** to consummate, finish, complete
**consumir** to consume; to waste away
**contagiado** infected; corrupted
**contar (ue)** to count; to tell; **— con** to count or depend on
**contemplar** to contemplate, look at
**contemporáneo** contemporary
**contener** to contain, curb, restrain; **—se** to control one's self
**contento** content, happy, satisfied
**contestación** answer
**contestar** to answer, reply
**continuamente** continually
**continuar** to continue, keep on
**continuo** continuous, uninterrupted; prolonged
**contra** against
**contradecir** to contradict
**contraer** to contract (an obligation); to catch (a disease); to acquire
**contrario** opposite; **al —** on the contrary
**contribuir** to contribute
**convencer** to convince
**convicción** conviction
**convencional** conventional
**convenir** to be convenient, fitting, proper, better, right; **— en** to agree upon
**convento** convent
**conversación** conversation
**conversar** to converse, talk
**convertir (ie, i)** to convert, change; **—se en** to become
**convicción** conviction
**convocar** to convene, convoke, call together, summon
**copia** copy (of a letter, picture, etc.)
**corazón** *m.* heart
**corbata** tie; **— de lazo** bow tie
**cordialidad** cordiality; sincerity
**cordón** *m.* cord; — *pl.* (*mil.*) aiglets or aiguillettes
**corona** crown
**coronación** coronation
**coronar** to crown
**coronel** *m.* colonel
**corregir (i)** to correct
**correo** mail; message
**correr** to run; to circulate; to chase; to pass quickly
**corresponder (a)** to match, correspond; to respond (to); to fit, suit
**correspondiente** corresponding, respective; agreeable, suitable
**corriente** current; cheap; present (month of year); **al —** posted, informed
**cortar** to cut, cut off, interrupt
**corte** *f.* court
**cortesano** courtier
**cortina** curtain
**cortinajes** *m.* curtains
**cosa** thing
**cósmico** cosmic
**costar (ue)** to cost
**costumbre** custom; **tener — de** to be accustomed to
**costura** sewing; needlework

**costurero** sewing room; sewing table
**crear** to create; to institute
**crecer** to grow
**creciente** growing, increasing
**creer** to believe; **ya lo creo** yes indeed
**crepúsculo** twilight, dusk
**Crimea** a peninsula of Southern Russia, between the Sea of Azov and the Black Sea
**crimen** *m.* crime
**criminal** criminal
**crisis** *f.* crisis; decisive moment
**cristal** *m.* (window) pane; **— cortado** cut glass
**cristiano** christian
**Cristo** Christ
**crítica** criticism, critique
**crítico** critical
**crucificar** to crucify
**cruel** cruel
**crueldad** cruelty
**crujiente** cracking, creaking; rustling
**cruz** *f.* cross
**cruzada** crusade
**cruzar** to cross; to exchange
**cual** which, what; like, as; **el —, la —, lo —, los cuales, las cuales** who, which; **tal por —** so and so
**¿cuál?** which (one)?, what?
**cualidad** quality
**cualquier** (*used before a sing. n. for* **cualquiera**)
**cualquiera** any (one) at all; **de cualquier modo** at any rate
**cuando** when; **de vez en —** from time to time
**¿cuándo?** when?
**cuanto** as much as; *pl.* as many as; all that; all those; **en —** as soon as; **en — a** as for; **unos —s** some, few, a few; **— antes** immediately, without delay
**¿cuánto?** how much? **¿cuántos?** how many?
**cuarenta** forty
**cuarto** room; fourth; quarter
**cuatro** four
**Cuauhtémoc** the last Prince of the Aztecs who was tortured by the Spanish conquerors to force him to reveal the hiding-place of Montezuma's treasure
**cubierto** (*p.p. of* **cubrir**) covered; — *m.* place at the table; **poner un —** to set a place at the table
**cubrir** to cover
**cuello** neck; collar
**cuenta** bill; account; **darse — de** to realize
**cuento** story
**cuerda** cord, rope, string; *adj.* prudent, discreet, not mad
**Cuernavaca** city south of Mexico City in the state of Morelos
**cuerno** horn
**cuerpo** body; military corps
**cuestión** question (for discussion); problem; matter
**cuidado** care, worry; **tener —** to be careful
**cuidadosamente** carefully
**cuidar (de)** to take care of, care for; **—se de** to take notice of
**culminante** culminating
**culminar** to culminate, arrive at a climax
**culpa** fault, guilt, blame; **echar la — a** to blame; **tener la — (de)** to be to blame (for)
**culpable** guilty
**cumbre** *f.* top, summit, peak of a mountain
**cumplir (con)** to fulfill, carry out
**cuñado** brother-in-law
**curar** to cure
**curiosamente** curiously; in a careful manner
**curiosidad** curiosity
**curioso** curious

**cutis** (*m. or f.*) skin of the body (especially that of the face); complexion
**cuyo** whose, of whom, of which

**chal** *m.* shawl
**chaleco** waistcoat, vest
**chambelán** *m.* chamberlain
**chapulín** *m.* an Aztec word referring to an insect of the genus Gryllus, commonly known as a grasshopper
**Chapultepec** name of wooded park in Mexico City given to the place by the Aztecs (**chapulín,** grasshopper and **tepetl,** hill) or Grasshopper Hill
**charlar** to chat
**charola** tray
**chile** *m.* American red pepper
**chocolate** *m.* chocolate
**choque** *m.* clash
**chorrear** to spout, gush, drip

**dama** lady, dame; a noble or distinguished woman; — **de compañía** lady companion; — **de honor** lady in waiting
**daño** harm; **hacer** — to hurt
**dar** to give; — **a** to open on, overlook; — **fin** to end; — **media vuelta** to turn halfway around; — **muerte** to kill; — **se cuenta de** to realize, account for
**dato** datum; *pl.* data
**de** of; from; about; with
**debajo (de)** under, below
**deber** to owe, must, should, ought; — *m.* duty, obligation
**debido a** owing to, on account of, due to; **debido** proper
**débil** weak
**debilidad** weakness
**débilmente** weakly, lamely
**decididamente** decidedly, resolutely, definitely
**decidir** to decide; **—se a** to decide to
**decir** to say, tell; **es** — that is to say
**decisión** decision
**declaración** declaration
**declarar** to declare
**decrescendo** descrescendo, gradual diminishing of force
**decreto** decree
**dedicar** to dedicate; to devote
**dedo** finger
**defecto** defect
**defender (ie)** to defend
**defendible** defensible
**defensa** defense; protection
**defensor** *m.* defender; supporter
**definición** definition; decision
**definir** to define
**definitivo** definitive, decisive
**dejar** to let, allow; to leave, abandon; — **de** to stop, cease; to fail to; — **caer** to let fall or drop
**del (de + el)** of the; from the
**delante (de)** in front (of); **por** — in front
**deletrear** to spell
**delfín** *m.* dauphin, formerly the title of the eldest son of the king of France
**delgado** thin, lean, slender, slim
**deliberadamente** deliberately
**deliberado** deliberate
**delicado** delicate
**delicioso** delightful
**delinquir** to offend, transgress, be guilty
**demanda** demand, claim; complaint; request
**demás** other; **los** — the others, the rest of them
**demasiado** too, too much, too well
**demente** demented, insane, mad
**democracia** democracy
**democrático** democratic

**demonio** devil
**demostrar (ue)** to demonstrate, prove, show
**dentro (de)** within, inside of
**denunciar** to denounce; to reveal
**depender** to depend
**deponer** to lay down, put aside; to depose, remove from office
**depositar** to deposit, put down
**deprimido** depressed
**derecho** right; straight; **a la derecha** to the right
**derramar** to shed
**derribar** to knock down, overthrow
**derrocar** to overthrow
**derrota** defeat
**derrotar** to defeat, overcome; to ruin; to wear away
**desafiar** to defy, challenge
**desagradable** unpleasant
**desaliento** dismay
**desaparecer** to disappear
**desarrollar** to develop; to unroll, unfold; to promote, improve
**desarrollo** development; unfolding, unwinding
**desastre** *m.* disaster
**desbaratar** to destroy, ruin
**desbocado** wide-mouthed
**descabellado** dishevelled; absurd, preposterous
**descamisado** shirtless, naked, ragged; (*coll.*) ragamuffin
**descansar** to rest
**descanso** rest
**descarga** discharge, explosion
**descarnado** thin, lean
**descender (ie)** to descend, go down
**descifrar** to decipher, make out
**desconcertado** disconcertedly, disorderly, slovenly, confusedly
**desconfianza** distrust
**desconfiar (de)** to mistrust, be distrustful (of); to have no confidence (in)
**desconocer** to refuse to recognize, withdraw recognition, disregard
**desconsolado** disconsolate, grief-stricken, dejected
**descontar (ue)** to discount, deduct, allow
**descorrer** to run back; to draw (as a curtain)
**describir** to describe; to sketch, trace
**descubierto** (*p.p. of* **descubrir**) discovered, revealed, uncovered
**descubrir** to discover, reveal, uncover
**desde** from, since; — **luego** of course; immediately; — **hace** for, since
**desdén** *m.* disdain, slight, scorn, contempt
**desear** to desire, want, wish
**desembriagar** to become sober, recover from drunkenness
**desempacar** to unpack
**desempeñar** to perform, discharge (a duty)
**desencadenar** to unchain; to free, liberate; to lose one's self-control
**deseo** desire
**desenlace** *m.* dénouement, winding up; conclusion, end
**desesperadamente** despairingly, hopelessly, desperately, madly
**desesperar** to despair
**desgarrado** tearing; heart-breaking, heart-rending
**desgracia** misfortune
**deshacer** to undo; to take apart
**desharrapado** shabby, ragged, in tatters
**deshonra** dishonor
**desierto** deserted, barren

**designar** to designate, name, appoint; to intend
**desinteresadamente** disinterestedly
**desleal** disloyal; faithless
**deslealtad** disloyalty
**deslumbrar** to dazzle
**desmontado** dismounted
**desmoralizar** to demoralize, corrupt, deprave
**desnudo** nude, naked, bare
**desoír** to pretend not to hear
**desorden** *m.* disorder
**despacho** study; office
**despecho** spite; despair; grudge; **a — de** despite, in spite of
**despedir (i)** to dismiss; **—se (de)** to take leave (of), say good-bye (to)
**despertar(se)** (ie) to awaken, wake up
**desplegar (ie)** to unfold, display; to spread, lay out; to explain
**despojar** to remove from, strip of, plunder
**desposar** to perform the marriage ceremony for; to be betrothed, engaged or married
**déspota** *m.* despot, tyrant; *adj.* tyrannical
**despreciar** to despise, scorn
**desprecio** scorn, contempt
**desprenderse** to tear one's self loose
**después** after, later, then; **— de** after
**destacar** to emphasize; to stand out
**desterrar (ie)** to banish, exile
**destierro** exile, banishment
**destino** fate, destiny
**destronar** to dethrone, overthrow
**destrucción** destruction
**destruir** to destroy
**desunión** separation, disunion; discord
**detener(se)** to stop
**determinante** determining, determinate
**detestable** detestable, hateful
**detestar** to detest, hate, abhor, abominate
**detrás (de)** behind
**deuda** debt
**devaneo** delirium, alienation of mind; frenzy
**devoción** devotion, intense interest
**devolver (ue)** to return, give back
**día** *m.* day; **al — siguiente** on the following day; **al otro —** on the next day; **de — y de noche** night and day; **de un — a otro** from one day to the next; **— con —** day after day
**diablo** devil
**diabólico** diabolical, devilish
**diagnosis** *f.* diagnosis
**diálogo** dialogue
**dibujo** drawing; sketch; portrayal
**diciembre** December
**dictador** *m.* dictator
**dictadura** dictatorship
**dictar** to dictate; to command, prescribe, direct
**diente** *m.* tooth
**diferenciar** to differentiate, distinguish between
**diferente** different
**difícil** difficult
**difunto** deceased, dead
**digestión** digestion
**dignarse** to condescend; to deign
**dignidad** dignity
**digno** worthy, outstanding
**dilatar** to dilate, widen, expand
**diligencia** diligence; stage-coach
**dinastía** dynasty
**dinero** money
**dios** *m.* God; **por —** for heaven's sake; **¡ — mío!** my God! goodness me! oh my!

**diplomacia** diplomacy
**diplomático** diplomatic; diplomat
**diputado** deputy, congressman, delegate, representative
**directamente** directly; in a direct manner
**directo** direct; straight
**dirigir** to direct, send; **—se a** to turn to, go to
**discusión** discussion
**discutir** to discuss, argue
**disgustar** to annoy
**disimuladamente** slyly, on the quiet
**disparar** to shoot, discharge, fire
**disparate** *m.* blunder, mistake; absurdity, nonsense
**disponer** to dispose; to arrange, prepare, lay out; to resolve
**disputar** to argue, dispute with
**distancia** distance
**distinción** distinction; superiority (in culture)
**distinguido** distinguished, prominent
**distinguir** to distinguish, tell apart; to see clearly at a distance; to esteem
**distinto** different
**distraer** to distract, harass the mind
**diurno** diurnal, day-time
**divertido** amusing, entertaining
**divertirse (ie, i)** to have a good time
**dividir** to divide
**división** divider; division
**divisorio** dividing
**doblar** to double; to fold, crease; to bend; to toll
**doble** double
**doctor** *m.* doctor
**documento** document
**dogma** *m.* dogma, set of ideas
**dogmático** dogmatic or dogmatical
**doler (ue)** to hurt, ache; **—se de** to take pity on
**dolor** *m.* grief, pain
**dolorosamente** pitifully
**doloroso** pitiful
**dominar** to dominate, control
**dominio** rule; domain; control; realm
**donaire** *m.* grace, elegance, gracefulness
**doncella** maiden, woman
**donde** where, in which, the place where
**¿dónde?** where?
**dondequiera** wherever; **por —** everywhere
**dorado** golden, gilded, gilt
**dormir (ue, u)** to sleep; **—se** to fall asleep
**dos** two; **los —** both
**dosis** *f.* dose
**dotar** to endow; to provide; **—de** to provide with, to be endowed or gifted with
**dote** *f. pl.* talents, endowments
**drama** *m.* drama, play
**dramático** dramatic
**dramaturgo** playwright, dramatist
**drástico** drastic
**dubitativo** doubtful, dubious
**duda** doubt
**dudar** to doubt
**dudoso** doubtful, dubious
**dueño** master, owner
**dulce** sweet; pleasing, pleasant, agreeable
**duque** *m.* duke
**duración** duration
**durante** during, for
**durar** to endure, last
**duro** hard, solid, firm; unjust, unkind, cruel, rigorous

**e** (*used before words beginning with* **i-** *or* **hi-**) and
**eco** echo

**echar** to throw, toss, throw out, hurl, cast; **—se a** to begin to; **— abajo** to overthrow, throw down; **— de menos** to miss, notice the absence or loss of; **— de ver** to notice, observe
**edad** age
**educado** educated, well brought up
**efecto** effect; **en —** exactly, in fact, actually, as a matter of fact
**efigie** *f.* effigy, image
**efímera** ephemeral, beginning and ending in one day
**egoísta** selfish, egoistic; egoist
**ejecutar** to execute, perform, carry out
**ejecutivo** executive
**ejemplar** exemplary, without precedent
**ejemplo** example
**ejercer** to perform, exercise
**ejercicio** exercise
**ejército** army
**eléctrico** electric
**electrizar** to electrify
**elegante** elegant, stylish, graceful
**elegir** to elect
**elemento** element
**ello** it; **por —** therefore
**embajada** embassy
**embajador** *m.* ambassador
**embargo: sin —** nevertheless, however, notwithstanding
**emboscada** ambush
**emitir** to emit; to utter, express
**emoción** emotion, excitement
**empeñarse (en)** to insist (on)
**empequeñecer** to make smaller, belittle, diminish
**emperador** *m.* emperor
**emperatriz** *f.* empress
**empezar (ie)** to begin
**emplear** to employ, use
**empobrecer** to impoverish
**emprender** to undertake, start on
**empresa** undertaking
**empréstito** loan
**empujar** to push, press
**en** in, into, on, at
**enamorar(se) (de)** to fall in love (with)
**encadenar** to chain, fetter, shackle; to enslave
**encajería** lace, lace-work
**encantador** charming, delightful; **—** *m.* enchanter, charmer
**encanto** charm, magic
**encarecer** to raise the price; to overrate; to extol, enhance
**encargar** to entrust, place in charge; **—se de** to take (be in) charge of
**encarnizado** bloody; hard-fought; cruel, pitiless
**encender (ie)** to light (up); to inflame
**encerrar (ie)** to enclose, lock up; **—se** to shut one's self up
**encima (de)** above, on top (of)
**encoger** to shrink, shrivel; **—se de hombros** to shrug the shoulders
**encontrar (ue)** to find, meet; **—se** to be; **—se con** to be confronted with
**encrespar** to curl; to set (the hair) on end; to be agitated
**enemigo** enemy
**enemistad** hatred, animosity
**energía** energy
**enérgicamente** energetically
**enero** January
**enfadar** to anger, vex; **—se** to get or become angry
**enfermedad** sickness, disease
**enfermo** sick, ill
**enfrentarse (a, con)** to confront, face; to oppose
**enfrente** opposite, in front

**engañar** to deceive; to cheat; to fool
**engaño** deceit, fraud
**engañoso** deceitful, deceiving, misleading
**engendrar** to beget, engender; to produce, bear
**engordar** to fatten, get fat
**engrandecimiento** aggrandizement, exaltation; increase, enlargement
**enmendar (ie)** to amend, correct
**enorme** enormous
**enredadera** vine; climber
**enredo** entanglement; plot (of a play)
**enseñar** to show; to teach
**ensueño** dream; illusion, fantasy
**entender (ie)** to understand
**enteramente** entirely, fully
**enterarse de** to find out about, become informed of
**entero** entire, whole
**entonces** then
**entrar** to enter
**entre** between, among
**entreabrir** to half-open; to set ajar
**entreacto** intermission
**entregar** to give, deliver, hand over; **—se** to devote one's self, dedicate one's self
**entretanto** meanwhile
**entretener** to entertain, amuse
**entrever** to see imperfectly; to glimpse
**entrevista** interview
**entronizar** to enthrone; to exalt
**envenenar** to poison
**enviar** to send
**envidiar** to envy
**envilecer** to debase, make contemptible, degrade
**envolver (ue)** to wrap (up), envelop, enclose
**episodio** episode
**epistolar** epistolary, pertaining to letters
**época** age, era, time
**equivocarse** to be mistaken
**erguir(se) (ye, i)** to stand erect, straighten up; to swell with pride
**errante** errant, roving, wandering
**error** *m.* error
**esbirro** bailiff
**escalinata** high stoop
**escama** fish scale
**escapar(se)** to escape
**escena** scene
**escenografía** scenography
**esclarecer** to lighten, illuminate; to enlighten, elucidate
**esclavo** slave
**esconder** to hide
**escotado** low cut
**escribir** to write
**escrito** (*p.p. of* **escribir**) written
**escritor** *m.* author, writer
**escritorio** desk
**escrúpulo** scruple
**escuadrón** *m.* squadron
**escuchar** to listen to, hear
**escudar** to shield, protect, defend
**escuela** school
**ese, esa** that; **esos, esas** those
**ése, ésa** that (one); **ésos, ésas** those
**esencial** essential
**esforzar (ue)** to strengthen; invigorate; to encourage; **—se por** to try to
**esfuerzo** effort
**esfumar** to shade, obscure
**eso** that; **por —** that is why, therefore
**espaciar** to space; to diffuse, expand
**espacio** space; room; capacity; interval
**espada** sword
**espalda** back; **de espaldas** backwards, from behind; **por la —** from behind, behind one's

back; **volver la** — to turn one's back
**espantoso** terrifying
**España** Spain; **la Nueva** — New Spain
**español** Spanish, Spaniard
**esparcir** to scatter, spread
**especial** special
**especie** *f.* species; kind, sort
**espectro** spectre, phantom
**espejismo** mirage; illusion
**espejo** mirror
**esperanza** hope
**esperar** to hope, wait for
**espeso** thick, heavy
**espina** thorn
**espíritu** *m.* spirit, soul, mind
**espiritual** spiritual
**espléndidamente** splendidly, magnificently
**esposo** husband
**estadista** *m.* statesman
**estado** state, condition; — **mayor** general staff; **los Estados Unidos** the United States
**estallar** to explode, burst forth
**estancia** stay, sojourn; dwelling; sitting or living room
**estar** to be; — **de** to be in position to; — **en sí** to have control of one's self, be in one's right mind; — **por** to be in favor of; —**se** to remain
**estatua** statue
**estatura** height, stature
**este, esta** this; **estos, estas** these
**éste, ésta** this (one); **éstos, éstas** these
**estela** (*arch.*) stele, commemorative slab or monument
**estéril** sterile, barren
**estilo** style; use, custom, fashion
**estimar** to estimate, value; to esteem, respect, honor
**estipular** to stipulate, specify
**esto** this; **por** — this is why, therefore
**estrangular** to strangle, choke
**estrechamente** narrowly; tightly, closely; intimately
**estrecho** narrow, tight
**estremecer(se)** to shiver
**estremecimiento** trembling, shaking; shudder, shuddering
**estrictamente** strictly
**estructura** structure; order, method
**estudiante** (*m. and f.*) student, pupil
**estudiar** to study
**estudio** study
**estúpido** stupid
**etapa** stage
**Europa** Europe
**europeizar** to Europeanize
**europeo** European
**evidente** evident, obvious
**evitar** to avoid
**exactamente** exactly
**exagerar** to exaggerate
**exaltar** to cxalt, elevate; to praise, extol
**examen** *m.* examination; inquiry; inspection
**examinar** to examine, look at carefully
**exasperado** exasperated
**exasperante** exasperating
**excepto** excepting, except, with the exception of
**excesivo** excessive
**exceso** excess; **en** — excessively, too much
**exclamar** to exclaim
**excluir** to exclude; to bar
**excusar** to excuse
**éxito** issue, result, end; **tener** — to be successful
**expectación** expectation, expectancy
**experiencia** experience
**experimento** experiment, test, trial
**explicación** explanation

**explicar** to explain
**explotar** to exploit; to develop
**exponer** to expose, explain
**expresar** to express
**expresión** expression; declaration; statement
**extensión** extension
**extenso** extensive, large
**exterior** exterior; external, outside; **lo —** foreign countries
**extinguir** to extinguish, put out, abolish
**extracto** extract; abstract; summary
**extrahumano** extra-human
**extranjero** foreign; foreigner
**extrañar** to miss; to surprise; **—se de** to be surprised at
**extrañeza** surprise, wonderment
**extraño** strange
**extraordinario** extraordinary
**extremo** extreme, last, highest degree, utmost point

**fábrica** factory
**fabricar** to manufacture
**fácil** easy
**facilidad** ease, easiness, facility
**fácilmente** easily
**faccioso** factious, rebellious
**factor** *m.* factor, element, cause
**falso** false, untrue, incorrect; deceitful, dishonest
**falta** fault; lack; **hacer —** to be lacking
**faltar** to lack; to need; to be lacking
**fama** fame
**familia** family
**famoso** famous
**fantasía** fantasy, fancy, imagination
**fantasma** *m.* ghost, phantom
**fantástico** fantastic, fanciful
**fascinante** fascinating, charming
**fascinar** to fascinate, enchant
**fastidiar** to excite disgust; **—se** to become bored or weary
**fatiga** fatigue; hardship
**fatigado** tired
**favor** favor; **por —** please
**fe** *f.* faith; **a — mía** on my word of honor
**fecha** date
**federal** federal
**felicidad** happiness
**feliz** happy, fortunate
**felizmente** happily
**feroz** fierce, ferocious
**festejar** to entertain, feast; to celebrate
**fiar** to trust, entrust, confide
**fiel** faithful
**figura** figure
**fijarse** to pay attention, be observant, notice
**fijo** fixed
**fila** rank
**filo** cutting edge; dividing line
**filosofía** philosophy
**filosóficamente** philosophically
**filosófico** philosophical
**fin** *m.* end, purpose; **al —** finally; **en —** finally, in short; **por —** finally, at last
**final** final; **al — de** at the end of
**fingir(se)** to feign, pretend
**firmar** to sign
**firme** firm, stable, solid, unyielding
**flojo** limp, loose, lax; weak
**flor** *f.* flower
**fomentar** to foment, encourage, promote, improve
**fondo** rear, back; background
**forjar** to forge; to invent; **—se ilusiones** to delude one's self; to build castles in the air
**forma** form
**formación** formation
**formar** to form
**fortuna** fortune, luck; **por —** fortunately, luckily

**fracasar** to fail
**francés** French, Frenchman
**Francia** France
**franco** frank, open; French; franc (French coin)
**francoprusiano** Franco-Prussian
**franqueza** frankness
**frase** *f.* sentence, phrase
**frecuencia** frequency; **con —** frequently
**frecuente** frequent
**frente** *f.* forehead; *m.* front; **al — de** in front of, at the head of; **de —** in front; **— a** opposite, in the face of; **— a —** face to face; **hacer —** to face
**frivolidad** frivolity; frivolousness
**frívolo** frivolous
**fruto** fruit; any product of man's intellect or labor
**fuego** fire; shooting; **hacer —** to fire; **prender —** to set fire
**fuera (de)** outside (of)
**fuerte** strong
**fuerza** force, strength; **a — de** by dint of, because of; **a la —** or **por —** by force
**fuga** flight
**fumar** to smoke
**fundamental** fundamental
**fundar** to found, establish
**funesto** fatal, sad
**furia** fury
**furioso** furious
**fusilamiento** execution
**fusilar** to shoot, execute by shooting
**fusilería** (*mil.*) musketry
**futuro** future

**galante** gallant, polished, attentive to ladies
**ganar** to gain, win, conquer; to earn; **— la vida** to earn one's living
**garantía** guarantee
**garganta** throat
**gasa** gauze
**gastar** to spend, use
**gasto** expense
**gato** cat
**general** *m.* general
**generalísimo** generalissimo; general-in-chief
**género** class, kind
**generosidad** generosity
**generoso** generous
**genial** delightful; **brilliant,** talented, skilled
**Génova** Genoa, city in Italy
**gente** *f.* people
**gentileza** gentility, gracefulness; ostentation
**gesto** gesture, facial expression
**globo** globe
**gloria** glory
**glorioso** glorious
**gobernador** *m.* governor
**gobernante** *m.* ruler
**gobernar (ie)** to govern
**gobierno** government
**golpe** *m.* blow, beat
**golpear** to strike, hit, hammer, beat, knock
**gordo** fat
**gota** drop; **— a —** drop by drop
**gozar de** to enjoy
**gozo** joy
**gracia** grace, beauty; wit; *pl.* thanks; **tiro de —** coup de grâce: death blow with which an executioner ends the sufferings of the condemned
**graciosamente** gracefully, graciously, kindly
**gracioso** graceful, pleasing; gracious; funny
**grada** step of a staircase
**grado** degree, rank; **al — de que** to such a degree that
**gran** (*used for* **grande** *before a sing. n.*)
**grande** large, great, tall
**grandeza** greatness

**gratuito** free
**grave** serious
**gravedad** gravity, seriousness
**gravemente** seriously, deliberately
**Grecia** Greece
**griego** Greek
**gritar** to shout
**grito** shout
**groseramente** grossly, coarsely, roughly, rudely
**grueso** thick, fat
**grupo** group
**guante** *m.* glove
**guapo** handsome
**guardar** to keep, maintain, guard
**guardia** *f.* group of armed men; *m.* guard; **de —** on duty
**guerra** war
**guiar** to guide, lead
**guillotinar** to guillotine
**gusano** worm
**gustar** to please, be pleasing
**gusto** pleasure; taste, liking; **tener — por** to have a taste for; to like

**Habana, La** Havana, capital of Cuba
**haber** to have (*used to form the perfect tenses*)
**hábil** capable, able
**habilidad** ability, skill; talent
**habitación** room
**hablar** to speak
**Habsburgo** Hapsburg: royal family of Austria which reigned from the Middle Ages until 1918
**hacer** to make, do, cause; **— caso de** to pay attention to; **— daño** to hurt; **— falta** to be lacking; **— una pregunta** to ask a question; **—se** to become; **—se cargo de** to take charge of; **hace mucho tiempo** a long time ago; **— un papel** to play a rôle
**hacia** towards
**hacha** (*f. but* **el**) axe
**hada** fairy, enchanted nymph
**halago** cajolery, flattery
**hallar** to find; **—se** to find one's self, be
**hambre** *f.* hunger
**hambriento** hungry, starved; greedy
**hasta** until, as far as, up to, even; **— luego** so long; **— que** *conj.* until
**hay** (*impersonal form of* **haber**) there is, there are; **había, hubo** there was, there were; **hay que** it is necessary to
**hazmerreír** *m.* laughing stock
**hecho** (*p.p. of* **hacer**) made, turned into, become; **—** *m.* deed, fact, event
**heredar** to inherit
**heredero** heir, inheritor
**herir (ie, i)** to wound
**hermana** sister
**hermano** brother; **primo —** first cousin; **medio —** half brother
**hermoso** beautiful, fine
**héroe** *m.* hero
**heroísmo** heroism
**hervir (ie, i)** to boil
**hierro** iron
**hija** daughter
**hijo** son; *pl.* sons, sons and daughters, children; **— natural** illegitimate child
**hipocresía** hypocrisy
**hipócrita** hypocritic, hypocritical; hypocrite
**hipodérmico** hypodermic; **jeringa —** a hypodermic needle
**hisopo** (*eccl.*) aspergill, sprinkler
**historia** history
**historiador** *m.* historian
**historicismo** historicity, historical character

**historicista** historic, historical
**histórico** historic, historical
**hombre** *m.* man
**hombro** shoulder
**hondo** deep
**honor** *m.* honor
**honrado** honest
**hora** hour
**horda** horde
**horizonte** *m.* horizon
**horrendo** horrible
**horrible** horrible
**horror** *m.* horror; **¡Qué —!** How dreadful!
**hoy** today
**huella** track, trace, footprint
**huérfano** orphan
**huevo** egg
**huir** to flee
**humano** human
**humilde** humble, poor
**humildemente** humbly
**humillación** humiliation
**humo** smoke
**humorada** pleasant joke, humorous saying
**hundir(se)** to submerge, sink; to destroy, ruin
**Hungría** Hungary
**hurtadillas: a** (*adv.*) by stealth, on the sly
**huso** spindle

**idea** idea
**ideal** *m.* ideal
**identificar** to identify
**ideológico** ideological
**idioma** *m.* language
**iglesia** church
**ignominiosamente** ignominiously, shamefully
**ignorar** to be unaware of, not to know
**igual** equal, the same; **sin —** unequaled
**Iguala** city in the state of Guerrero, Mexico where the Plan of Iguala was formulated by Iturbide
**ilícito** illicit, unlawful; immoral
**iluminación** illumination
**iluminar** to illumine, illuminate, light
**ilusión** illusion
**iluso** dreamer
**ilustrado** learned, well-informed
**ilustre** illustrious, distinguished
**Ilustrísimo** very or most illustrious (title given to bishops, etc.)
**imagen** *f.* image
**imaginación** imagination
**imaginario** imaginary
**imbécil** *m.* imbecile
**imitar** to imitate, mimic
**impaciencia** impatience
**impaciente** impatient
**impedir (i)** to prevent, hinder
**impenitente** impenitent, obdurate
**imperativo** imperative; command
**imperfecto** imperfect
**imperial** imperial
**imperio** empire; reign, command
**imperioso** imperious, overbearing
**impersonal** impersonal
**impertinente** not pertinent; impertinent, meddlesome
**implorar** to implore, beg for
**imponer** to impose
**impopular** unpopular
**importancia** importance
**importante** important
**importar** to be important, matter
**imposibilidad** impossibility
**imposible** impossible
**impresión** impression
**impresionista** impressionistic
**impulsar** to impel, actuate, move, prompt
**impulsivamente** impulsively
**inarticulado** inarticulate
**incendio** fire, conflagration
**incertidumbre** uncertainty

**incierto** uncertain; untrue; unknown
**incitar** to incite, spur, instigate
**inclinar(se)** to bow, bend down, lean down
**incluir** to include
**incompleto** incomplete
**inconcebible** inconceivable
**inconcluso** not concluded or ended
**inconmovible** immovable; unbending, unyielding
**inconscientemente** unconsciously
**incorporar(se)** to incorporate; to raise or to make (a patient) sit up
**increíble** unbelievable, incredible
**indecisión** indecision, irresolution
**independencia** independence
**indescriptible** indescribable
**Indias, las** the Indies
**indicación** indication, sign; hint, suggestion
**indicar** to indicate, point out
**indicio** indication, mark, sign, evidence
**indígena** indigenous, native; Indian
**indio** Indian
**indirecto** indirect
**indiscreto** indiscreet
**individuo** individual
**índole** *f.* disposition, nature, class, kind
**indomable** indomitable, unconquerable
**indudable** indubitable, certain
**industria** industry
**inerte** inert; dull, slow, sluggish
**inexplicable** inexplicable, unexplainable
**infalible** infallible
**infalibilidad** infallibility
**infeliz** unhappy, unfortunate
**inferior** inferior
**infestar** to infest, overrun
**inflexible** inflexible, rigid; unyielding
**inflexión** inflection
**infligir** to inflict
**influencia** influence
**influir** to influence
**influjo** influence
**informar** to inform
**informe** *m.* report; *adj.* shapeless, formless
**infortunado** unfortunate, unlucky
**infundir** to instill
**ingenuo** naïve
**Inglaterra** England
**inglés** English; Englishman
**iniciador** *m.* initiator, starter
**injusticia** injustice
**injusto** unjust
**inmaculado** immaculate, holy, pure
**inmediato** immediate; nearby
**inminencia** imminence, nearness
**inmiscuir** to mix; to interfere
**inmóvil** still, motionless
**innecesario** unnecessary
**inquietar** to bother, worry
**inquietud** anxiety
**insecto** insect
**insinceridad** insincerity
**insinuar** to insinuate, hint, suggest
**insistencia** insistence, persistence, obstinacy
**insistir (en)** to insist (on); to persist (in)
**insolencia** insolence
**insolente** insolent
**inspirar** to inspire
**instalar** to install
**instante** instant, moment
**instinto** instinct
**instrucción** instruction
**instruir** to instruct, teach, train
**insulto** insult, affront
**íntegramente** entirely, wholly

**integridad** integrity, honesty; wholeness
**inteligencia** intelligence; intellect, mind; comprehension
**inteligente** intelligent
**intención** intention, purpose
**intensidad** intensity
**intentar** to try, attempt
**interés** *m.* interest
**interesante** interesting
**interesar (en, con, por)** to be concerned (with) or interested (in)
**interminable** interminable, endless
**intermitencia** intermission; interval between fits
**internacional** international
**interno** internal, interior, inward
**interponer** to interpose, place between
**interpretación** interpretation
**interpretar** to interpret
**intérprete** (*m. or f.*) interpreter
**intervención** intervention
**intervenir** to intervene; to interfere
**interrumpir** to interrupt
**interrupción** interruption
**intestino** internal; civil, domestic
**intriga** intrigue; entanglement; plot (of a play)
**intrigar** to intrigue, plot, scheme
**intruso** intruder
**inundar** to inundate, flood
**invadir** to invade
**invasor** *m.* invader; invading
**invencible** invincible, unconquerable
**inventar** to invent
**involucrar** to introduce as a digression
**involuntariamente** involuntarily, unwillingly
**inyección** injection
**ir** to go; **—se** to go away; **¡vaya!** well!
**irónico** ironical, sarcastic
**irrisorio** derisive
**irrupción** irruption, inroad, invasion, raid
**isla** isle, island
**istmo** isthmus
**Italia** Italy
**italiano** Italian
**izquierdo** left; **a la izquierda** to the left

**jabón** *m.* soap
**Jalapa** capital of the state of Veracruz, Mexico
**Jamaica** island of the West Indies, about ninety miles south of Cuba
**jaque** *m.* check, in the game of chess; **tener en —** to keep in check
**jaqueca** headache
**jardín** *m.* garden
**jarra** jar, jug
**jarrón** *m.* large jar, urn, flower vase
**jefe** *m.* chief, officer, head, leader, "boss"
**jeringa** needle; **— hipódermica** hypodermic needle
**Jesucristo** Jesus Christ
**jesuíta** *m.* Jesuit
**joven** young
**juarista** (*m.* and *f.*) Juarist, follower of Benito Juárez
**Judas** *m.* one that treacherously deceives his friend; impostor, traitor
**juego** game, sport
**juicio** judgment; decision
**julio** July
**junio** June
**juntar** to join, connect, unite
**junto** together; **— a** near
**juramento** oath, act of swearing; curse
**jurar** to swear
**justamente** justly; just, exactly

**justicia** justice
**justificar** to justify
**justo** just, right, correct, exact
**juventud** youth
**juzgar** to judge

**kilómetro** kilometer (about five-eighths of a mile)

**la** *f. sing.* the; — **de** that of
**labio** lip
**labor** *f.* work
**lacayo** lackey, groom, footman
**lacio** straight (hair)
**lado** side; **del — de** on the side of; **hacerse a un —** to move aside
**lágrima** tear
**l'Aiglon** *the Eaglet,* young eagle
**lanzar** to throw, hurl, push; — **una mirada a** to glance at; **—se** to charge
**lápiz** *m.* pencil
**largo** long; **a lo — de** along, the length of
**las** *f. pl.* the
**lástima** pity, compassion; **¡Qué —!** What a pity (shame)!
**látigo** whip
**latir** to palpitate, pulsate, throb, beat
**leal** loyal
**lealtad** loyalty
**lección** *f.* lesson
**lector** *m.* reader
**lectura** reading
**lecho** bed
**leer** to read
**legislar** to legislate
**legislativo** legislative
**lejano** distant, far off
**lejos** far, far off, far away; **a lo —** at a distance
**lengua** tongue; language
**lenguaje** *m.* language
**lentamente** slowly
**lentitud** slowness
**lento** slow
**levantar** to raise; **—se** to get up, rise up, rebel
**levita** frock coat, Prince Albert coat
**ley** *f.* law
**leyenda** legend
**liberal** liberal
**libertad** liberty
**libre** free
**libremente** freely; boldly
**libreta: de notas** notebook
**libro** book
**licencia** permission
**ligar** to tie, bind, fasten; to join together
**ligeramente** lightly; quickly; slightly
**ligero** light, unsteady, frivolous
**limitar** to limit; to bound; to restrict
**límite** *m.* limit, border
**limpio** clean, clear
**lindo** pretty
**lista** list
**listo** ready; clever
**literato** literary; literary person, writer
**lo** it, him, you; — **que** what, that which
**loar** to praise, eulogize; **Dios sea loado** God be praised
**local** local
**loco** crazy
**locura** madness; folly; crazy act
**lógico** logical
**lograr** to succeed (in), achieve, obtain
**Lombardía** Lombardy, upper part of Italy
**losa** slab, flagstone, floor tile
**lucidez** brilliancy, brightness; success
**lucir** to shine, glitter, glow; to outshine, exceed; to look, appear
**lucha** fight, struggle

**luchar** to fight
**luego** then, soon, immediately; **desde —** of course; immediately; **¡hasta —!** so long!
**lugar** *m.* place; **de — en —** from place to place; **en — de** instead of; **tener —** to take place
**lujo** luxury; **de —** de luxe; elegant
**luna** moon; **— de miel** honeymoon
**luterano** Lutheran
**luto** mourning; grief, bereavement; **de —** in mourning
**luz** *f.* light

**llama** flame
**llamada** call; motion or sign to call attention
**llamar** to call, name; knock; **— la atención** to attract attention; **—se** to be called; to be named
**llegada** arrival
**llegar** to arrive; **— a** to become
**llenar** to fill
**lleno** full, filled, replete
**llevar** to take; to carry; to wear; **— a cabo** to carry out; **—se** to take away, carry away
**llorar** to cry, weep

**macho** vigorous, robust; "he-man"
**madre** *f.* mother
**maduro** mature, ripe
**maestro** teacher
**mágicamente** magically
**magnético** magnetic
**magnífico** magnificent
**maíz** *m.* corn
**majestad** majesty
**mal** (*used for* **malo** *before a m. sing. n.*)
**mal** badly, wrong; **—** *m.* illness, disease
**maldito** perverse, wicked, cursed, damned
**malhadado** wretched, unfortunate
**malicia** malice, maliciousness
**malo** bad, evil; ill
**mandar** to order, command
**mando** command, power, dominion; **al — de** under the command of
**manejar** to manage
**manera** way, manner; **a — de** as a kind of; **a la — de** in the fashion (style) of
**manga** sleeve
**mano** *f.* hand
**manteleta** mantelet, lady's shawl
**mantener** to maintain, hold, keep up; to support, provide for
**Mantua** city in Italy, 25 miles south-southwest of Verona
**mañana** morning; tomorrow; **muy de —** very early; **de la —** in the morning
**mar** (*m. and f.*) sea; **— Negro** Black Sea
**maravilla** wonder, marvel
**maravillar** to admire, wonder (at), marvel
**maravilloso** marvelous
**marcial** martial, military
**marchar** to march; **—se** to march or go away
**marchito** faded, withered
**marido** husband
**mariscal** *m.* (*mil.*) marshal
**marítimo** maritime, marine, sea
**mármol** *m.* marble
**mártir** (*m. or f.*) martyr
**marzo** March
**mas** but
**más** more, most; **a — de** in addition to, besides being; **— de** more than; **los —** the majority; **por — que** in spite of the fact that
**máscara** mask

**masculino** masculine
**mascullar** to mumble
**masón** *m.* freemason
**matar** to kill
**material** material; matter-of-fact
**matiz** *m.* shade, tint; blending
**matrimonio** matrimony, marriage; **contraer —** to marry (get married)
**maya** (*m. and f.*) Mayan language or person
**mayo** May
**mayor** greater, greatest, more, chief, main; **estado —** general staff; **la — parte** the majority
**mayormente** principally, chiefly
**mecánicamente** mechanically
**mecánico** mechanical; mechanic, artisan
**mecedora** rocking chair
**medalla** medal
**mediado** half-filled, half-full; **a mediados de** (of a period of time) about the middle of
**mediano** medium
**medicina** medicine
**médico** doctor
**medida** measure, act; **a — que** at the same time as, while
**medio** half; somewhat; **en — de** in the midst of; **por — de** by means of; **a medias** partially, half and half; **medios** means
**medir (i)** to measure
**meditación** meditation
**meditar** to meditate, ponder
**mejilla** cheek
**mejor** better, best; **— dicho** rather; **a lo —** perhaps
**mejorar** to improve
**melancolía** sadness, melancholy
**melancólico** melancholy, sad, gloomy
**memoria** memory; *pl.* memoirs
**mendigo** beggar
**menor** lesser, least; younger, youngest; minor
**menos** less, least; except; **a lo —** at least; **al —** at least; **echar de —** to miss; **lo de —** least of all
**mensaje** *m.* message
**mente** *f.* mind, understanding; sense, meaning
**mentir (ie, i)** to lie
**mentira** lie, falsehood; **parece —** it seems incredible
**mentiroso** liar
**menudo** small; **a —** often
**mercader** *m.* merchant, dealer, shopkeeper
**mercado** market
**mercenario** mercenary; mercenary soldier
**merecer(se)** to deserve, merit; to obtain, attain; to be worth
**mes** *m.* month
**mesa** table
**mesilla** small table
**mesurado** regular; slow; moderate
**meter** to put; **—se en** to meddle in
**metódicamente** methodically
**Metz** fortified city in Alsace-Lorraine, eighty miles northwest of Strassburg
**mexicano** Mexican
**México** Mexico; Mexico City
**mezcla** mixture
**mezclar** to mix; **—se con** to mingle with
**mí** me; **— mismo** myself
**miedo** fear; **tener — (de)** to be afraid (of)
**miembro** member
**mientras (que)** while, as long as; **— tanto** in the meantime
**migaja** small crumb or bit of bread; small fragment, chip or bit
**mil** thousand

**milagro** miracle; **polvo de —** marvelous powder
**milímetro** millimeter
**militar** *adj.* military; *n.* soldier
**millón** *m.* million
**minar** to mine, excavate, dig; to undermine; to destroy
**ministerial** ministerial
**ministerio** ministry, cabinet
**ministro** minister; **primer —** prime minister
**minuto** minute, moment
**mío, -a, -os, -as** mine; **los —s** my men
**mirada** look, gaze
**mirar** to look (at); **— en torno** to look around
**miserable** miserable, wretched, poverty-stricken
**miseria** misery, wretchedness, poverty
**misión** mission
**mismo** same, very, own, self; **ahora —** right now; **mí —** myself; **sí —** himself
**misterio** mystery
**misteriosamente** mysteriously
**místico** mystic; spiritual
**mitad** half; **a la —** halfway
**mitigar** to mitigate, allay, soothe, alleviate
**mito** myth
**mixto** mixed; half-breed
**modal** *m. pl.* manners, breeding
**moderación** moderation
**moderado** moderate, reasonable
**modismo** idiom
**modo** way, manner; **de cualquier —** at any rate; **de — que** so then, so that; **de otro —** in another way, otherwise; **de tal —** in such a way; **de todos —s** at any rate
**Moisés** Moses
**molestar** to bother, annoy
**molestia** annoyance, bother; inconvenience, trouble
**molido: estar —** to be fatigued; worn out
**momento** moment
**monarca** monarch, ruler
**monárquico** monarchical
**moneda** coin
**monólogo** monologue, soliloquy
**monotono** monotone
**monseñor** *m.* monseigneur, title given to cardinals, bishops and archbishops
**monstruoso** monstrous, huge; extraordinary; shocking, hideous
**montaña** mountain
**moral** *adj.* moral; **—** *f.* ethics, morality, morale
**moralmente** morally
**morder (ue)** to bite
**mordisquear** to nibble at; to take a bite of
**moreno** dark, brunette
**morir (se) (ue, u)** to die, pass away
**mosquetero** musketeer
**mostrar (ue)** to show
**motivo** motive, reason
**mover(se) (ue)** to move
**móvil** *m.* motive; incentive, inducement
**movimiento** movement
**mucho** much, great; *pl.* many
**mudo** dumb; silent, mute
**mueble** *m.* piece of furniture; *pl.* furniture
**muerte** *f.* death
**muerto** (*p.p. of* **morir**) dead
**muestra** sign, indication; **dar —s de** to show signs of
**mujer** *f.* woman; wife
**múltiple** multiple, complex
**multidud** multitude, crowd
**mundial** world; global, universal
**mundo** world; **todo el —** everyone, everybody
**musical** musical
**muy** very

**nacer** to be born; to rise
**nación** nation
**nacional** national
**nacionalización** nationalization
**nada** nothing
**nadie** no one, nobody
**naranjada** orangeade
**nariz** *f.* nose
**nativo** native
**natural** natural; native; **hijo —** illegitimate child
**naturaleza** nature
**naturalmente** naturally
**necesario** necessary
**necesidad** need, necessity
**necesitar (de)** to need
**negar (ie)** to deny; **—se a** to refuse to
**negativamente** negatively
**negativo** negative
**negociar** to trade; to negotiate
**negocio** affair
**negro** black, dark
**nervio** nerve
**nerviosidad** nervousness
**nervioso** nervous
**neutralidad** neutrality
**ni** nor, not even; **— ... — ...** neither . . . nor . . . ; **— siquiera** not even; **— un** not a single
**nieto** grandson
**ningún** (*used for* **ninguno** *before a m. sing. n.*)
**ninguno** no; **de ninguna manera** under no circumstances
**niño** child
**nivel** *m.* level; **a —** on the same level
**no** no, not; **— obstante** notwithstanding; nevertheless
**noble** noble
**nobleza** nobleness; nobility
**noción** notion
**noche** *f.* night; **de —** by night; **de la —** in the evening; **esta —** tonight; **buenas noches** good evening, goodnight; **en plena —** late at night
**nombrar** to name; to nominate, appoint
**nombre** *m.* name; noun; **de, por —** by name
**nonagenario** nonagenarian, a person ninety years old
**normal** normal
**norte** *m.* north; **del Norte** of the United States
**norteamericano** North American; American (from or of the United States)
**nota** note, short letter; mark, sign
**notar** to note, observe
**noticia** a piece of news; **—s** news
**novecientos** nine hundred
**novela** novel
**noventa** ninety
**noviembre** November
**nube** *f.* cloud
**nuestro, -a, -os, -as** our; **los —s** ours; our forces
**nuevamente** again
**nuevo** new; **de —** again
**nulo** null, void, nil, of no account
**número** number
**nunca** never

**o** or
**Oaxaca** city in southern Mexico noted for its archeological zones and colorful costumes
**obcecado** obfuscated, obscured
**obedecer** to obey
**objeto** object, purpose; article
**obligación** obligation, duty
**obligar** to oblige, compel
**obra** work, deed
**obrar** to act; to work; **— sobre** to effect
**obscuridad** darkness
**obscuro** dark, obscure
**observación** observation
**observar** to observe
**obsesión** obsession

**obsesionar** to be obsessed; to obsess
**obstante: no** — notwithstanding, nevertheless
**obtener** to obtain, get, procure
**ocasión** occasion
**ocasionar** to cause, occasion; to jeopardize, endanger
**octogenario** octogenarian, a person eighty years old
**octubre** October
**ocultar** to hide
**ocupar** to occupy
**ocurrir** to occur, happen
**ochenta** eighty
**odiar** to hate
**odio** hate
**ofender** to offend
**ofensa** offense
**ofensivo** offensive
**oficial** *m.* officer, official
**oficina** office
**ofrecer** to offer
**ofuscar** to obfuscate, dazzle; to confuse
**¡oh!** (*interj.*) oh!
**oído** ear
**oír** to hear
**ojalá** would to God, God grant, I wish
**ojeada** glance, glimpse
**ojo** eye
**olvidar(se) (de)** to forget
**omitir** to omit
**once** eleven
**opaco** opaque, dull
**ópera** opera
**operar** to operate, act, work
**opinar** to judge, be of the opinion
**opinión** opinion
**oponer** to oppose, bring up in opposition; **—se a** to oppose
**oportuno** opportune, timely
**opuesto** opposite
**oración** prayer; sentence
**orador** *m.* orator, speaker
**orar** to harangue; to pray; to ask, beg for
**orden** *f.* order, command, religious order; *m.* arrangement, order, class group
**ordenar** to order, command; to take care of
**oreja** ear
**organizar** to organize, set up; to arrange
**orgullo** pride
**orgulloso** proud, haughty, arrogant
**Oriente** *m.* Orient
**origen** *m.* origin
**original** original
**orilla** shore; bank (of a river)
**oriundo** native, coming (from)
**Orizaba** name of a city and also of the highest mountain peak in Mexico in the state of Veracruz
**orla** border, edge
**orlar** to border, garnish with an edging
**oro** gold
**ortografía** orthography, spelling
**osado** daring
**oscuridad** darkness
**oscuro** dark; **a oscuras** *adv.* obscurely; in the dark
**otomana** ottoman; divan
**otorgar** to consent, agree to; to grant
**otro** other, another

**pabellón** *m.* pavilion; summer house; — **de caza** hunting pavilion
**paciencia** patience
**padre** *m.* father, priest; **—s** parents
**pagar** to pay (for)
**país** *m.* country
**paisaje** *m.* landscape, countryside
**pájaro** bird
**palabra** word

**palacio** palace
**palidecer** to pale, turn pale
**pálido** pale
**palma** palm of the hand
**palmo** span
**palpar** to feel (of), to touch
**palpitar** to palpitate, beat, throb, quiver
**palurdo** boor, rude fellow
**panorama** *m.* panorama
**pantalón** *m.* trousers, pants
**pañuelo** handkerchief
**papa** *m.* Pope
**papel** *m.* paper; part, rôle
**par** *m.* pair, couple; equal; **de — en —** wide open
**para** to, for, in order to; **— con** towards, to, for
**paraguas** *m.* umbrella
**paralelo** parallel; similar
**parar(se)** to stop
**parásito** parasite; parasitic
**parcial** partial
**pardo** brown, dark gray
**parecer** to seem, appear; **—se a** to resemble
**parecido** resembling, like, similar (to)
**pared** *f.* wall
**pareja** pair, couple
**parentesco** relationship, kindred
**paréntesis** *m.* parenthesis
**paria** *m.* pariah, outcast
**pariente** *m.* relative
**París** Paris
**parpadear** to wink; to blink
**parque** *m.* park
**parte** *f.* part, side; **en todas —s** everywhere; **la mayor —** the majority; **por todas —s** everywhere; **por — de** on the part or side of; **—** *m.* news, message
**particular** private; special
**partidario** advocate, adherent
**partidismo** partisanship
**partida** group; departure
**partido** party; decision
**partir** to leave, depart, come out of, march forward
**pasado** last, past; **el año —** last year
**pasaje** *m.* passage in a book or writing
**pasar** to pass, go, pass on, pass over to; to happen; to spend; to endure; **— por** to be considered, be taken for
**pase** *m.* permit, pass
**pasear(se)** to walk, pass, move
**paseo** walk, promenade; stroll; drive, ride; **dar un —** to take a walk, ride, etc.
**pasillo** passage, corridor
**pasión** passion
**paso** passage; step; **— a —** step by step
**pastor** *m.* pastor, clergyman
**patria** country
**patriótico** patriotic
**patrón** *m.* patron, protector
**pausa** pause
**pausado** calm, quiet, deliberate
**paz** *f.* peace; **meter —** to make peace
**pecador** *m.* sinner; offender
**pecho** chest
**pedazo** piece
**pedir (i)** to ask for, request
**peinado** hairdo
**peinador** *m.* dressing gown
**peinar(se)** to comb
**peineta** shell comb
**pelado** penniless person; (*Mex.*) peasant
**pelear** to fight; to quarrel; to struggle
**peligro** danger
**peligroso** dangerous
**pelo** hair
**peluca** wig
**pena** penalty; punishment; sentence; grief; **valer la —** to be worthwhile

**penetrar** to penetrate, enter
**penoso** painful, laborious, distressing, embarrassing
**pensamiento** thought
**pensar (ie)** to think, consider; to intend; — **en** to think about, of
**pensativamente** thoughtfully
**pensativo** thoughtful
**pensión** pension, annuity
**peor** worse, worst
**pequeño** little, small
**percibir** to perceive
**perder (ie)** to lose, ruin; —**se** to get lost
**pérdida** loss
**perdón** *m.* pardon, forgiveness; mercy
**perdonar** to excuse, pardon
**perecer** to perish
**perfectamente** perfectly
**perfecto** perfect
**período** period, age, era
**perjudicar** to damage, hurt, injure, impair
**permanecer** to remain
**permanencia** stay, sojourn; duration, permanence
**permiso** permission
**permitir** to permit
**pero** but
**perpetuar** to perpetuate
**perro** dog
**perseguir (i)** to pursue, persecute, chase
**persignarse** to cross one's self
**persistir** to persist, persevere
**persona** person
**personaje** *m.* personage; character
**personal** personal; — *m.* personnel
**personalmente** personally, in person
**perspectiva** perspective
**persuadir** to persuade, induce, convince
**persuasivo** persuasive
**pertenecer** to belong
**perturbar** to perturb, disturb, unsettle; to confuse, agitate
**pesadilla** nightmare
**pesado** insufferable, bothersome, annoying; heavy
**pesar** *m.* grief, trouble, worry; regret, sorrow; **a — de** in spite of
**pésimo** very bad, worst
**peso** weight, heaviness
**petardo** firecracker; bomb
**petrificar** to petrify
**pez** *m.* fish
**piadoso** pious, godly; merciful
**picaporte** *m.* spring latch, catch bolt
**pie** *m.* foot; **a —** on foot; **de —** standing; **de —s a cabeza** from head to foot
**piedra** stone
**piel** *f.* skin
**pieza** piece of work; play, drama; room
**pillaje** *m.* pillage, plunder
**pintar** to paint
**pintor** *m.* painter
**pirámide** *f.* pyramid
**plan** *m.* plan
**planear** to plan, design
**planta** plant
**plata** silver
**plaza** plaza, square of a city
**plebeyo** plebeian, commoner
**plebiscito** plebiscite
**plegar (ie)** to plait, double; to do up; to submit, yield
**pleno** full, complete; **en —** in the middle of; **en plena noche** late at night
**pliego** sheet (of paper); sealed envelope or package containing papers
**pliegue** *m.* fold, crease
**pluscuamperfecto** pluperfect
**pobre** poor
**pobrecito** poor little thing

**poco** a little, few, short, not very; **no —s** several; **— a —** little by little
**poder (ue)** to be able to; **puede ser que** it may be that, perhaps; — *m.* power
**poderoso** powerful
**podrido** (*p.p.* of **podrir**) rotten, corrupted
**poesía** poetry; poem
**poeta** *m.* poet
**Poética** poetics; work of Aristotle
**polémico** polemic, polemical
**política** politics; policy
**político** political; politician
**polvo** dust; powder; **— de milagro** marvelous powder
**poner** to put; **—se** to become; to put on; **—se a** to begin to; **—se de acuerdo** to agree; **—se en pie** to stand up
**pontifical** pontifical, papal
**pontífice** *m.* pontiff; archbishop or bishop of a diocese
**pontificio** pontificial
**populacho** populace, mob, rabble
**popular** popular
**por** by, because of, for, through, along, in order to, by means of, for the sake of; **— entre** through; **¿ — qué?** why?; **— ... que** however, no matter how
**porcelana** porcelain; chinaware
**pormenor** *m.* detail
**poro** pore
**porque** because
**portar** to carry (as arms); **—se** to behave one's self
**portero** porter, janitor, doorman
**posar** to set or lay down
**posesivo** possessive
**posibilidad** possibility
**posible** possible
**posición** position
**potente** powerful
**pozo** well
**práctico** practical; skillful
**preceder** to precede
**precio** price
**precipitadamente** hastily
**precipitar** to rush, hasten, hurry
**precisamente** precisely, exactly
**preciso** precise, exact; necessary
**preferible** preferable
**preferir (ie, i)** to prefer
**preguerra** pre-war
**pregunta** question; **hacer una —** to ask a question
**preguntar** to ask
**premura** urgency, haste
**prender** to light; to turn on (a light); to take prisoner
**preocupar** to preoccupy; to concern; **—se** to worry
**preocupación** preoccupation; worry
**preparar(se) (a)** to prepare to, get ready (to)
**preparativo** preparative; qualifying; preparation
**presa** catch, booty; capture, seizure; **hacer —** to catch
**presencia** presence
**presente** present, current
**presentir (ie, i)** to forebode, predict; to have a presentiment of
**presidencia** presidency
**presidente** *m.* president
**preso** (*p.p. of* **prender**) apprehended, imprisoned; *m.* prisoner
**prestar** to lend, aid, assist; **— atención** to pay attention
**presuroso** prompt, quick
**pretender** to pretend; to propose
**pretérito** preterit, past
**prever** to foresee, anticipate
**previo** previous, foregoing
**primeramente** first; in the first place
**primer** (*used for* **primero** *before a m. sing. n.*)
**primero** first
**primitivo** primitive

**primo** prime, excellent, superior; cousin; — **hermano** first cousin
**princesa** princess
**principal** principal, main; important, essential
**príncipe** *m.* prince
**principio** beginning; principle
**prisa** haste; **darse** — to make haste, hurry; **a** — quickly
**prisión** *f.* prison
**prisionero** prisoner
**privado** private
**privar** to deprive
**privilegio** privilege
**probablemente** probably
**probar (ue)** to prove, try, test; to taste, sample
**problema** *m.* problem
**proceder** to proceed
**procesión** procession, parade
**proceso** trial, criminal case, proceedings of a lawsuit
**proclamación** proclamation
**proclamar** to proclaim; to promulgate
**procurar** to try; to secure, obtain
**prodigioso** prodigious, marvellous; fine, excellent
**producto** product
**profesar** to profess
**profesor** *m.* professor, teacher
**profetizar** to prophesy
**profundamente** profoundly, deeply
**profundo** profound, deep; low
**progresar** to progress
**progresista** progressive
**progresivo** progressive
**progreso** progress
**prohibir** to prohibit
**prolongar** to prolong, protract, extend
**promesa** promise
**prometer** to promise
**prometido** betrothed
**promover (ue)** to promote, further; to advance, exalt
**promulgar** to promulgate, proclaim; to publish
**pronombre** *m.* pronoun
**pronto** soon, quick, quickly, ready; **de** — suddenly
**pronunciar** to pronounce
**propiedad** property
**propio** own, very characteristic, typical; **—s** own people
**proponer(se)** to propose, propound
**propósito** purpose; **a — de** in connection with; apropos of; **de** — on purpose
**prorrogar (ue)** to prolong, extend (in time)
**proseguir (i)** to proceed, continue
**protección** protection
**proteger** to protect
**protesta** protest
**protestar** to protest
**proveer** to provide
**provincia** province
**provisión** provision
**provisional** provisional
**provocar** to provoke, challenge
**próximo (a)** next (to)
**proyectar** to project, plan
**proyección** projection; design
**proyecto** project, plan
**prudente** prudent, cautious, wise
**prueba** proof, evidence; **poner a** — to put to the test
**Prusia** Prussia
**prusiano** Prussian
**psicológico** psychological
**publicar** to publish
**público** public
**pueblo** people; town
**pueril** childish, puerile
**puerta** door
**puerto** port
**pues** since, as, well, then, because; — **bien** well then

**puesto** position, job; — **que** since; (*p.p. of* **poner**) put, placed
**pulgar** *m.* thumb
**pulir** to polish
**pulque** *m.* (*Am.*) fermented juice of the maguey cactus
**pulso** pulse
**punta** point
**punto** point, period; — **de vista** point of view
**puño** cuff, wristband; hilt of a sword; fist
**purera** tobacco pouch; cigar case
**puro** pure; absolute, mere, sheer; cigar

**que** than, which, that, who, whom
**¿qué?** what? how? **¡ — ... !** what a . . . !
**quebrar (ie)** to break
**quedar(se)** to remain
**quehacer** *m.* occupation, business, work; chore
**quemar** to burn; to scorch
**querer** to want, wish, love
**Querétaro** capital of the state of Querétaro about 167 miles north of Mexico City
**querido** dear, beloved
**quien** who, whom, he who; **a —** whom; **—es** those who
**¿quién?** who? whom?
**quieto** quiet, still; silent
**químico** chemical
**quinientos** five hundred
**quinto** fifth
**quitar(se)** to take off, take away, remove
**quizá(s)** perhaps

**racial** racial
**radicalmente** radically, fundamentally
**raíz** *f.* root
**rango** rank, class, position
**rápidamente** rapidly, swiftly
**rápido** rapid, swift
**raro** rare, strange; scarce
**rastro** track, trail; trace
**ratificar** to ratify, confirm
**rato** while
**raudal** *m.* torrent, stream
**raya** line, dash; part or parting (in the hair)
**raza** race
**razón** *f.* reason; **tener —** to be right
**razonamiento** reasoning
**reacción** reaction
**reaccionar** to react
**real** royal; real, live
**realidad** reality; **en —** truly, really; in fact
**realizar** to carry out
**realzar** to heighten, enhance; to stand out
**reanimar** to cheer, comfort; to encourage; to revive, reanimate
**reaparecer** to reappear
**recámara** bedroom
**recelo** misgiving, fear, suspicion
**recibir** to receive, welcome
**reciente** recent
**recio** strong
**reclamar** to claim; to demand
**reclinar** to recline, lean back; **—se en** *or* **sobre** to lean on or upon
**reclusión** seclusion; place of retirement
**recobrar** to recover
**recoger** to gather, collect, get together, take in
**recomendación** recommendation
**recomendar (ie)** to recommend
**reconcentrar** to concentrate
**reconciliarse con** to have a reconciliation with
**reconocer** to recognize; to inspect, examine closely; to admit
**recordar (ue)** to remember, recall

**rectificar** to rectify, make right; to correct, amend
**recuerdo** memory
**recurrir(se) a** to resort to; to go to
**recurso** recourse; solution; resource
**rechazar** to reject, push back
**redacción** editing; wording
**redactar** to write, make out, draw up
**redoble** *m.* roll (drums)
**redondo** round
**reelección** reelection
**reelegir** to reelect
**reembolsar** to reimburse, refund, pay
**reemplazar** to replace
**reencender (ie)** to light (up) again
**referir (ie, i)** to refer to; to relate, tell, narrate; to direct, submit
**reflejo** reflection; glare
**reflexionar** to think, reflect
**reforma** reform
**reforzar (ue)** to reinforce, strengthen; to cheer, encourage
**refuerzo** reinforcement
**refugiarse** to take refuge, shelter
**regar (ie)** to sprinkle, scatter (water)
**regatear** to bargain, haggle about the price
**regazo** lap
**regente** regent; ruling, governing
**región** region
**regocijarse** to rejoice
**regresar** to return, come back
**regreso** return; **de —** back
**rehusar** to refuse
**reina** queen
**reinar** to reign; to predominate
**reino** reign; kingdom
**reír(se)** to laugh; **—se de** to laugh at, make fun of
**relación** relation
**relativo** relating, with reference
**religioso** religious
**reloj** *m.* watch, clock
**reluciente** shining
**relucir** to shine
**remedio** remedy, solution; **no hay otro —** there's no other way out
**remitir** to remit; to cite, refer; to forward, transmit
**remordimiento** remorse
**rencor** *m.* rancor, animosity, grudge
**rendir(se) (i)** to surrender
**renombre** *m.* renown, fame
**renunciar** to renounce, refuse; **— a** to resign from
**reñir (i)** to quarrel, wrangle; to scold, reprimand
**repasar** to repass; to check, examine again
**repente: de —** suddenly
**repentino** sudden
**repercusión** repercussion, reverberation
**repetir (i)** to repeat
**reponer** to put back; to reply; **—se** to recover
**reposar** to rest
**reposo** repose, rest
**representante** representative
**representar** to represent
**reprimir** to repress, check, curb
**reprobar (ue)** to condemn
**reproducir** to reproduce
**república** republic
**republicano** republican
**repulsión** repulsion
**repulsivo** repelling
**requerir (ie, i)** to summon; to require, need; to notify
**resbalar** to slip, slide
**reservar** to reserve

**residencia** residence, abode, dwelling, home
**resignarse con** to resign one's self to
**resistencia** resistance
**resistir(se)** to resist; **—se a** to object to
**resonar (ue)** to resound
**resorte** *m.* spring; means, resources
**respaldo** back of a chair or seat
**respecto a** *or* **de** with regard to, concerning, regarding
**respetable** respectable, considerable; worthy
**respetar** to respect
**respeto** respect
**respetuoso** respectful
**resplandecer** to glitter, glisten, shine
**responder** to answer, respond
**responsable** responsible
**responsabilidad** responsibility
**respuesta** answer, reply, response
**restar** to deduct; to subtract; to be left, remain
**resto** rest, remainder; *pl.* remains
**resuelto** (*p.p. of* **resolver**) resolute, determined
**resulta** result, effect, consequence; **de —s** in consequence
**resultado** result
**resultar** to result, become
**resumen** *m.* summary, résumé; **en —** summing up
**retener** to retain, keep
**retirada** retreat, withdrawal
**retirar(se)** to retire, withdraw, retreat
**retiro** withdrawal, retreat
**retorno** return, coming back
**retoque** *m.* finishing touch
**retraso** delay; slowness, backwardness
**retrato** portrait, picture
**retroceder** to go back; retreat
**reunir** to reunite, join, gather together
**revelar** to reveal
**reventar (ie)** to burst
**revolución** revolution
**revolucionario** revolutionary
**revuelta** revolt
**rey** *m.* king
**rezar** to pray
**rico** rich
**Richelieu** French statesman and Cardinal (1585–1642), founder of the French Academy
**ridículo** ridiculous; odd, eccentric; **poner en —** to ridicule
**riesgo** risk, peril
**rifle** *m.* rifle
**rígido** rigid, stiff
**rincón** *m.* corner
**riqueza** wealth
**riquísimo** very rich
**risa** laugh, laughter; **dar —** to make one laugh
**risible** laughable, ludicrous
**risueño** smiling
**ritualmente** like a ritual or ceremony
**rival** *m.* rival
**robar** to rob, plunder, steal
**robusto** robust, strong
**rodeado (de)** surrounded (by)
**rodear** to surround, encircle, encompass
**rodilla** knee; **de —s** kneeling
**rogar (ue)** to ask, implore
**rojo** red
**romántico** romantic
**romper** to break; **— a** to start to
**ropa** clothes
**rostro** face
**roto** (*pp. of* **romper**) broken
**rozar** to rub, graze
**rubí** *m.* ruby
**rubio** blond
**ruego** plea
**ruido** noise

**ruina** ruin, decline, downfall; overthrow, fall
**rumbo** direction, area; — **a** in the direction of
**rumor** *m.* noise, rumor
**Rusia** Russia
**ruso** Russian
**ruta** route, way

**saber** to know; — *m.* wisdom
**sabiduría** wisdom
**sabio** wise, learned
**sabor** *m.* taste, flavor; dash, zest
**sacar** to take out
**sacerdote** *m.* priest
**saco** coat, jacket
**sacrificar** to sacrifice
**sacrificio** sacrifice
**sagrado** sacred
**Salamanca** city of western Spain famous for its university founded in 1215
**salida** departure, outlet, way out
**salir** to leave, go out, come out
**salón** *m.* room, large hall, assembly room; — **de consejo** council chamber
**saltar** to jump, leap
**saludar** to greet, wave to, salute
**saludo** bow, salute, greeting
**salva** *(mil.)* salvo
**salvación** salvation
**salvaje** savage
**salvar** to save; to rescue
**sangre** *f.* blood
**sanguinario** bloody, sanguinary; cruel
**santidad** holiness; **Su Santidad** His Holiness, the Pope
**santo** holy, saintly, blessed; saint; **Santo Padre** Holy Father (the Pope)
**saquear** to plunder, loot, pillage
**Sarajevo** capital city of Bosnia, province of Yugoslavia, 122 miles southwest of Belgrade
**Sardinia** the second island in size in the Mediterranean Sea, forming a part of Italy
**sargento** sergeant
**satisfacer** to satisfy
**saturar** to saturate
**savia** sap (of a tree)
**seco** dry; dull, thin, curt
**sección** section
**secrétaire** *m.* secretary (desk)
**secretario** secretary
**secreto** secret
**secular** secular, lay
**seda** silk
**Sedan** a fortified town 164 miles northeast of Paris
**sede** *f.* headquarters, see; **Santa Sede** Holy See
**seguida: en** — immediately, at once
**seguir (i)** to continue, follow; **seguido de** followed by
**según** according to; depending on
**segundo** second
**segundón** *m.* any son born after the first
**seguramente** securely, safely; surely
**seguridad** certainty; security
**seguro** sure, certain, trustworthy; **de** — surely
**seis** six
**semana** week
**semejante** such (a); similar
**semejanza** resemblance, similarity
**semiconsumido** half-consumed
**semiocultar** to half hide
**Sena** *m.* the River Seine in France
**senado** senate
**sencillamente** simply
**sencillez** simplicity
**sencillo** plain, simple
**sendos** one each; one for each
**seno** chest; breast; bosom

**sensación** sensation
**sensatez** good judgment, wisdom, good sense
**sensibilidad** sensibility; sensitiveness
**sentar (ie)** to seat; to fit; **—se** to sit down
**sentido** sense, meaning; direction
**sentimiento** sentiment, emotion, feeling
**sentir(se) (ie, i)** to feel; to hear
**seña** sign, mark, indication
**señal** *f.* sign, indication; **en — de** as a sign of
**señalar** to indicate, point out, name, mark
**señor** *m.* gentleman, lord, master, sir, Mr.
**señora** lady, woman, madam, Mrs.
**señorita** young lady, Miss
**separación** separation
**separar** to separate
**séquito** retinue, suite
**ser** to be; **— de** to belong to; **es decir** that is to say; **o sea** or in other words; **—** *m.* being
**serenar** to become calm or serene; to settle, pacify
**serenidad** serenity, calm, tranquility
**seriedad** seriousness
**serio** serious
**servicio** service
**servidor** *m.* employee; **— de Ud.** your servant; at your service
**servil** servile; humble, lowly; **—** *m.* absolutist, defending absolute monarchy
**servir (i)** to serve; **— de** to serve as; **— de nada** to be useless; **sírvase Ud.** ... please . . .
**sesenta** sixty
**setenta** seventy
**severamente** severely
**severo** severe
**Sèvres** French porcelain made at Vincennes in 1745. Louis XV in 1756 purchased the manufactory and removed it to Sèvres, hence the name.
**sexo** sex
**si** if
**sí** yes; itself, himself, each other, one another; **— mismo** himself; **decir que —** to say so
**siempre** always; **de —** as usual; **lo de —** the usual; **para —** forever
**sierra** mountain, ridge of mountains, mountain range
**siete** seven
**sigilosamente** silently, secretly
**siglo** century
**significado** meaning
**significar** to mean
**signo** sign
**siguiente** following
**silencio** silence
**silencioso** silent
**silla** chair; **— del trono** throne
**sillón** *m.* large chair, armchair
**simple** simple, mere; single; foolish
**simultáneamente** simultaneously
**sin** without; **— embargo** nevertheless; **— que** *conj.* without
**sinceridad** sincerity
**sincero** sincere
**siniestro** sinister
**sino** but
**sinónimo** synonym
**siquiera** even, at least; **ni — not** even
**sire** *m.* master, sovereign; sir
**sistema** *m.* system
**sitio** place, siege
**situación** situation
**situar** to place, locate, situate
**soberanía** sovereignty; rule
**soberano** sovereign
**soberbia** excessive pride, haughtiness, arrogance; pomp

**sobrar** to be left over, be in excess, not to be needed; **de sobra** well enough, over and above
**sobre** on, over; — **todo** especially, above all; — *m.* envelope
**sobresalir** to excel, be prominent, stand out; to project
**sobresaltar** to frighten, be startled
**sobrevivir** to survive, outlive
**sobrino** nephew
**Sócrates** Greek philosopher (469–399 B.C.)
**sofisma** *m.* fallacy
**sofocarse** to choke, suffocate, smother
**sol** *m.* sun
**solamente** only
**soldadas** wages, pay, salary
**soldado** soldier
**soledad** loneliness, solitariness
**solemne** solemn, serious
**solemnidad** solemnity
**soler (ue)** to be accustomed to
**sólido** solid, compact
**solo** alone, single; **a solas** alone
**sólo** only, solely
**solución** solution
**sollozar** to sob
**sombra** shadow, shade
**sombrero** hat; — **de bola** derby hat
**someter** to submit; beat down
**són** *m.* sound, noise; **bailar uno al — que le tocan** to adapt one's self to circumstances
**sonar (ue)** to sound, be heard, ring
**sonido** sound
**sonreír (i)** to smile
**sonriente** smiling
**sonrisa** smile
**soñar (ue) (con)** to dream (of)
**soñoliento** somnolent, sleepy
**soplar** to blow, blow out
**soportar** to support, endure, bear, stand up under
**sorbo** sip; puff
**sórdido** sordid
**sordo** deaf; silent, still, quiet, muffled
**sorprender** to surprise
**sorpresa** surprise
**sortija** finger ring
**sospechar** to suspect
**sostener** to sustain, support, maintain, hold up
**suave** gentle, meek, mellow
**suavemente** gently, meekly
**suavidad** softness, smoothness, ease, gentleness
**subalterno** subaltern, subordinate, lowly
**subir** to rise, go up
**súbito** sudden
**subjuntivo** subjunctive
**sublevación** insurrection, revolt
**subordinado** subordinate
**subrayar** to underline
**subsistir** to exist
**suceder** to succeed, follow, be the successor (of); to happen
**sucesivamente** successively
**sucesivo** successive, consecutive
**sucesor** *m.* successor
**sucio** dirty
**sueldo** salary
**suelo** soil, land, ground; floor
**suelto** loose
**sueño** sleep, dream; **tener un —** to dream
**suerte** *f.* luck, fate; **tener —** to be lucky; **de tal — que** in such a way that, so that
**suficiente** sufficient
**sufrir** to suffer, endure
**sugerir (ie, i)** to suggest
**suicida** (*m. and f.*) suicide, self-murderer
**suicidarse** to commit suicide
**sujetar** to hold fast, grasp

**sujeto** subject, theme, matter; person, individual, fellow
**sultán** *m.* sultan
**suma** sum, total; amount; **en —** in short
**sumamente** chiefly; exceedingly, highly
**sumar** to add, sum up; to amount to
**sumergir(se)** to submerge, sink; to plunge, dive; to overwhelm
**superficie** *f.* surface
**superfluo** superfluous
**superior** superior; upper
**superioridad** superiority
**suplicar** to beg
**suponer(se)** to suppose
**supremo** supreme
**supresión** suppression
**suprimir** to suppress
**supuesto** (*p.p. of* **suponer**) supposed; **— que** allowing that, granting that; **por —** of course, naturally
**sur** *m.* south
**surgir** to come forth, rise up, arise
**suspender** to suspend, stop
**suspensión** suspension, suspense
**suspirar** to sigh
**suspiro** sigh
**sustituir** to substitute, replace
**susto** dread, fear
**sutil** subtle, cunning; thin, slender
**suyo, -a, -os, -as** of his, hers, yours, theirs

**tabaco** tobacco
**tácito** silent, tacit; implied
**taimado** sly, cunning, crafty
**tal** such (a); **— vez** perhaps
**tamaño** size; *adj.* so large, so great, such large, such great
**tambalearse** to stagger, totter, reel
**también** also, too
**tambor** *m.* drum
**tampoco** neither
**tan** so, as; such (a)
**tanto** so much, as much; *pl.* so many, as many; **en —** in the meantime; **en — que** while; **mientras —** in the meantime; **otro —** as much, as much more; **por lo —** therefore; **— ... como ...** both . . . and . . . ; **un —** a little, somewhat
**tapiz** *m.* tapestry
**tardar** to be late; **— en** to delay in, take long to
**tarde** *f.* afternoon; **por la —** in the afternoon; **—** *adv.* late
**taza** cup
**teatral** theatrical
**teatralmente** theatrically
**teatro** theatre
**teléfono** telephone
**telón** *m.* curtain (theatre)
**tema** *m.* theme, subject, topic; **cambiar de —** to change the subject
**temblar (ie)** to tremble
**tembloroso** trembling, tremulous
**temer** to fear
**temeroso** fearful
**temor** *m.* fear
**tempestad** storm
**tempestuoso** tempestuous, stormy
**temporal** temporal, temporary; worldly
**templo** temple, church
**temprano** early
**tender (ie)** to stretch (out), extend, spread, lay out, give, recoil
**tendiente (a)** intended (for)
**tener** to have, hold; **— costumbre de** to be accustomed to; **— en jaque** to hold in check; **— pena** to grieve, worry; **— que** to have to; **— razón** to be right; **tenga la bondad de ...** please . . .
**teniente** *m.* lieutenant

**tensión** tension, strain
**tentación** temptation
**tentativa** attempt
**tercer** (*used for* **tercero** *before a m. sing. n.*)
**tercero** third
**terco** stubborn
**terminado** used up
**terminante** decisive, final
**terminar** to end, finish
**término** foreground; purpose; term, word
**terrateniente** *m.* landowner, landholder
**terraza** terrace
**terrible** terrible
**territorial** territorial
**territorio** territory, region
**terror** *m.* terror
**tesoro** treasure
**tiempo** time; tense; weather; **a —** on time
**tiernamente** tenderly
**tierra** land, earth
**tiesamente** firmly, stiffly, strongly
**tieso** strong, robust; **— como un huso** stiff as a ramrod
**tímido** timid, shy
**tío** uncle
**tipo** type; fellow, guy
**tiranía** tyranny
**tirano** tyrant
**tirar** to pull; to throw; to shoot; **—(se) de** to pull on
**tiro** shot; **— de gracia** coup de grâce: death blow with which an executioner ends the sufferings of a condemned person when being executed
**titular** to title, entitle, name, call
**título** title
**tlaxcalteca** (*m. and f.*) Tlaxcalan Indian from the town or state of Tlaxcala in the central part of Mexico
**tocador** *m.* dressing table; dressing room, boudoir
**tocar** to touch; to play
**todavía** still, yet
**todo** all, everything, whole, every; **sobre —** especially; **— el mundo** everyone
**tolerar** to tolerate
**tolteca** (*m. and f.*) Toltec Indian who it is believed inhabited the valley of Mexico probably before the close of the seventh century
**tomar** to take; **—se en cuenta** to take into account
**tomo** volume
**tono** tone; **subir de —** to become louder
**tontería** foolishness, silliness, nonsense
**tonto** fool
**torno** turn; **en —** around
**toro** bull
**tortilla** tortilla: a pancake-shaped cake of corn flour; **— de huevos** omelette
**tortuoso** tortuous, winding, sinuous
**tortura** torture; grief, affliction
**torturar** to torture, torment
**tos** *f.* cough
**toser** to cough
**total** total, whole
**trabajar** to work
**trabajo** work, labor
**trabajosamente** laboriously, painfully
**tradición** tradition
**traducir** to translate
**traer** to bring, bear, carry
**trágico** tragic
**traición** treason
**traicionar** to betray, to do treason to
**traidor** *m.* traitor
**traje** *m.* suit, dress
**trampa** trick, fraud, trap
**tranquilamente** calmly
**tranquilidad** calm

**tranquilizar(se)** to calm down
**tranquilo** calm
**transición** transition
**transfigurar** to transfigure, transform
**transmitir** to transmit
**transparente** transparent
**transporte** *m.* transportation
**tras (de)** behind, after
**trasladar** to transfer, move; to transcribe
**trasplantar** to transplant
**trasponer** to transpose, remove, transport
**trastornar** to upset, turn upside down, disturb, disarrange
**tratado** treaty
**tratamiento** treatment
**tratar** to treat, deal (with), try; **— de** to try to; **—se de** to be a question or matter of
**trato** treatment, handling
**través** *m.* inclination; **a — de** through, across
**trazar** to trace, design, devise, plan out
**tremendo** tremendous
**trémulo** shaking, quivering
**tribu** *f.* tribe
**tridimensional** three-dimensional
**Trieste** Until 1918 the chief seaport of Austria-Hungary on the Adriatic Sea, 73 miles northeast of Venice and 214 miles southwest of Vienna. Since 1918 a part of Italian territory.
**trilogía** trilogy
**triste** sad, unfortunate
**tristemente** sadly, unfortunately
**tristeza** sadness
**triunfar** to triumph, conquer, achieve victory (over)
**triunfo** triumph
**trivialidad** triviality; triteness
**trono** throne
**tropa** troop
**trozo** piece
**trueno** thunder; loud report (as of cannon)
**tuberculosis** *f.* tuberculosis
**Tullerías** Tuileries, a royal palace on the right bank of the Seine, in Paris
**tumba** tomb, grave
**tumulto** tumult, uproar, uprising, mob
**tumultuosamente** tumultuously
**turba** crowd, rabble, mob
**turno** turn
**Turquía** Turkey

**u** (*used before words beginning with* **o** *or* **ho**) or
**ubicar** to be situated, located
**último** last; **por —** finally
**umbral** *m.* threshold
**un** (*used for* **uno** *before a m. sing. n.*)
**uno, -a** a, an; **— a —** one by one; **—s** some; **—s cuantos** some few, a few
**únicamente** only
**único** only, unique
**unidad** unity
**unificación** unification
**unificar** to unify
**uniforme** *m.* uniform
**unión** union
**unir(se) (a)** to unite, join (to)
**universal** universal
**universidad** university
**uña** fingernail, claw
**urgencia** urgency, exigence; obligation
**urgente** urgent
**usar** to use
**uso** use; usage
**usurpador** *m.* usurper
**útil** useful

**vacilar** to hesitate, waver, vacillate
**vacío** empty, void; empty space

**vago** vague, indistinct
**valer** to be worth, cost; **más vale ...** it's better . . . ; **— la pena** to be worth the effort
**valiente** brave
**valor** *m.* bravery, courage; value
**vals** *m.* waltz
**vanidad** vanity; nonsense
**vano** vain; **en —** in vain, uselessly
**variado** diversity, deviation, varying
**varios** several
**vaso** glass
**vasto** vast
**Vaticano** Vatican, domain of the Pope in Rome
**¡vaya!** well!; **¡ — una pregunta!** what a question!
**vehemencia** vehemence, force
**vehemente** vehement, forceful, strong
**veinte** twenty
**veinticuatro** twenty-four
**veintiuno** twenty-one
**vejez** old age
**vela** candle
**velar** to watch, to keep vigil; to be awake
**velón** *m.* candle
**vencer** to conquer, win, overcome
**vendar** to bandage
**vender** to sell
**Venecia** Venice, city in Italy
**veneno** poison
**venenoso** poisonous, venomous
**venéreo** venereal disease
**Véneto** Venetia, region in Italy
**venganza** revenge
**vengar** to avenge
**venia** pardon, forgiveness; leave, permission
**venir** to come; **— en camino** to be on the way
**ventana** window
**ventanillo** peephole; small window shutter
**ver** to see, look at; **echar de —** to notice
**veraniego** *adj.* summer
**verano** summer
**veras** reality, truth; **de —** really
**verbo** verb
**verdad** truth; **es —** it is true
**verdadero** true, real
**vergonzoso** shameful
**versión** version
**verter (ie, i)** to pour, spill; to shed
**vértigo** dizziness
**vestido** dress, gown
**vestir(se) (i)** to dress, wear
**vez** time; **a la —** at the same time; **de — en cuando** from time to time; **en — de** instead of; **otra —** again; **una —** once; **tal —** perhaps; **a veces** occasionally; **rara —** seldom
**viaje** *m.* trip, voyage; **hacer un —** to take a trip
**vicepresidente** *m.* vice president
**vicisitud** vicissitude, change
**víctima** victim
**victoria** victory, triumph
**vida** life
**vidriera** glass window or partition
**viejo** old
**Viena** Vienna, capital of Austria
**viento** wind; **golpe de —** puff of wind
**vigor** *m.* vigor
**vil** mean, base, despicable, common
**violencia** violence
**violentamente** violently
**violento** violent, impulsive, furious
**virgen** (*m. and f.*) virgin
**virginal** virginal, virgin
**virrey** *m.* viceroy
**virtud** virtue
**visión** vision
**visita** visit; visitor, guest
**visitar** to visit

**vista** sight, view, vision; glance, look; **punto de —** point of view; **hasta la —** so long, until we meet again
**viviente** living, animated
**vivir** to live; **¡viva ... !** long live . . . !; **¡vive Dios!** by God!
**vivo** alive, lively
**vocabulario** vocabulary
**volante** *m.* head ornament of light gauze; flounce
**volar (ue)** to fly
**voluntad** will, volition
**voluntariamente** voluntarily, willingly
**volver (ue)** to return, turn; **— a hacer** to do again; **— la espalda** to turn one's back; **—se** to become, turn; turn around
**voraz** voracious, greedy
**voz** *f.* voice, shout; **en — alta** out loud, aloud; **en — baja** in an undertone; **a media —** in a whisper; **dar voces** to cry, scream, shout, yell
**vuelta** return, turn; **dar media —** to turn halfway around; **de —** back, returned
**vuestro** your
**vulgar** common
**vulgarmente** vulgarly; commonly

**Waterloo** village in Belgium, scene of the famous Battle of Waterloo in which Napoleon was conquered in 1815
**Werfel (Franz)** German expressionist poet, novelist, and dramatist (1890–1945). Among his works is the play *Juárez und Maximilian* written in 1924.

**y** and
**ya** already, now, then, soon; **— lo creo** yes indeed; **— no** no longer; **— que** since

**zapoteca** (*m. and f.*) Zapotec Indian, chiefly of the area of Oaxaca
**Zócalo** the largest square in Mexico City, called also the **Plaza de la Constitución**
**zozobra** anguish, worry, anxiety
**zumbar** to buzz, to hum
**zumbido** humming, buzzing; ringing in the ears

# AKIMBO AND THE ELEPHANTS

ALEXANDER McCALL SMITH

Illustrated by Peter Bailey

EGMONT

# Akimbo's wish

Imagine living in the heart of Africa. Imagine living in a place where the sun rises each morning over blue mountains and great plains with grass that grows taller than a man. Imagine living in a place where there are still elephants.

Akimbo lived in such a place, on the edge of a large game reserve in Africa. This was a place where wild animals could live in safety. On its plains there were great herds of antelope and zebra. In the forests and in the rocky hills there were leopards and baboons. And, of course, there were the great elephants, who roamed slowly across the grasslands and among the trees.

Akimbo's father worked here. Sometimes he drove trucks; sometimes he manned the radio or helped to repair the trucks. There was always something to do.

If Akimbo was lucky, his father would occasionally take him with him to work. Akimbo loved to go with the men when they went off deep into the reserve. They might have to mend a game fence or rescue a broken-down truck, or it might just be a routine patrol through the forest to check up on the animals.

Sometimes on these trips, they would see something exciting.

'Look over there,' his father would say.

'Don't make a noise. Just look over there.'

And Akimbo would follow his father's gaze and see some wild creature eating, or resting, or crouching in wait for its prey.

One day, when they were walking through the forest together, Akimbo's father suddenly seized his arm and whispered to him to be still.

'What is it?' Akimbo made his voice as soft as he could manage.

'Walk backwards. Very slowly. Go back the way we came.'

It was only as he began to inch back, that Akimbo realised what had happened. There in a clearing not far away were two leopards. One of them, sensing that something was happening, had risen to its feet and was sniffing at the air. The other was still sleeping.

Luckily, the wind was blowing in the wrong direction, or the leopard would have smelled their presence. If that had happened, then they would have been in even greater danger.

'That was close,' his father said, once they had got away. 'I don't like to think what would have happened if I hadn't noticed them in time.'

It was not leopards, or even lions, that Akimbo liked to watch. He loved the elephants best of all. You had to keep clear of them, too, but they seemed more gentle than many of the other creatures. Akimbo loved their vast, lumbering shapes. He loved the way they moved their trunks slowly, this way and that, as they plodded across the plains between the stretches of forest. And he loved the sound of an elephant trumpeting – a short, surprised, rather funny sound.

There used to be many elephants in Africa, but over the years they had been mercilessly hunted. Now there were fewer and fewer.

Akimbo could not understand why anybody should want to hunt an elephant and asked his father why.

'It's for their tusks. They're made of ivory, and ivory is very valuable.

It's used for ornaments and jewellery. Some rich people collect it and like to show off elephant tusks carved into fancy shapes.'

'But it's so cruel,' said Akimbo. 'I'm glad it doesn't happen any more.'

Akimbo's father was silent for a moment.

'I'm afraid it does still happen. There are still people who hunt elephants – even here in the reserve.'

'Can't you stop them?' he asked.

Akimbo's father shook his head. 'It's very difficult. The reserve stretches for almost a hundred miles. We can't keep an eye on all of it all the time.'

Akimbo was silent. The thought of the elephants being hunted for their tusks made him seethe with anger. He wondered whether there would come a day when all the elephants in Africa were destroyed. Then all that we would have to remember them by would be photographs and, of course, the ivory from their tusks. The reserves would be empty then, and the sight of the elephants crossing the plains would be nothing but a memory.

'I don't want that to happen,' Akimbo said to himself. 'I want the elephants to stay.'

# Father elephant

A few weeks later, Akimbo was to be reminded of what his father had said about the poachers.

'We have to go out to check up on a water hole,' his father said. 'Do you want to come with us?'

'Yes,' said Akimbo eagerly.

'It'll be a rough ride,' his father warned him. 'There isn't even a track for much of the way.'

'I don't mind. I know how to hang on.'

Akimbo's father was right. It was not an easy journey, and it was very hot as well. At noon the sun burned down unmercifully, and it was unbearably hot in the truck cabin. Akimbo wiped the sweat off his face and drank great gulps of water from the water bottles, but he did not complain once.

They had to travel slowly, as there were rocks and potholes which could easily damage the truck if they came upon them too quickly. Every now and then, a concealed rock would scrape against the bottom of the truck with a painful, jarring sound, and everybody inside would wince. But no damage was done, and they continued their journey.

During the hot hours of midday, few animals will venture out of the shade of the trees and the undergrowth. But Akimbo saw a small herd of zebra cantering off to safety, throwing up a cloud of dust behind them.

Then, quite suddenly, one of the men in the back of the truck hit his fist on the top of the roof and pointed off to the left. Akimbo's father brought the vehicle to a halt.

'What is it?' he called out.

The man leaned over into the cabin.

'Vultures. Flocks of them.'

The eyes of all the others followed the man's gaze. Akimbo saw nothing at first, but when he craned his neck he saw the birds circling in the hot, still air. Even from this distance, he could tell that there were lots of them, and so he knew that something big was attracting their attention.

Akimbo's father turned to one of the other men.

'Do you think the lions finished a meal?'

The other man looked thoughtful. 'Maybe. But there are rather a lot of vultures for that. Don't you think we should go and take a look?'

Akimbo's father agreed. Then, swinging the truck off to the left, he steered in the direction of the circling birds. After a bumpy ride of fifteen minutes they were there and they saw the sad sight which they had all secretly been dreading.

The elephant lay on its side, where it had fallen. As the truck approached, four or five vultures flapped up into the air, angry at the disturbance of their feeding. Akimbo's father looked furious as he drew the truck to a halt. Without speaking, he opened his door and strode off to stand beside the fallen elephant.

Akimbo stayed where he was. He could not bear to look at the great creature. He knew that the elephant had been destroyed so that its tusks could be stolen.

Akimbo looked away. There was a group of trees nearby and as Akimbo looked towards it he noticed movement. Then, a little way away, the vegetation moved.

Akimbo strained his eyes to try to see more. He was sure an animal was there, but it was difficult to see through the thick covering of leaves and branches. He hoped it was not a buffalo, which could be dangerous.

There was another movement, and this time Akimbo was looking in the right place. Quickly opening the door of the truck cabin, Akimbo leapt out and ran to where his father and the other men were standing.

'Look!' he cried out. 'Look over there.'

The men spun round. As they did so, the baby elephant broke cover. It took a few steps and then stopped, as if uncertain what to do. It raised its trunk and sniffed at the air. Then it dropped its trunk and stood quite still. Akimbo noticed that it had a torn right ear.

'It's her calf,' said his father. 'It's very young.'

They stared at the calf for a few moments.

The tiny elephant was obviously confused. It saw its mother lying motionless on the ground, and it wanted to join her. At the same time, its instinct told it to keep away from the intruding men.

'Can we look after it?' Akimbo asked.

Akimbo's father shook his head. 'No. The herd will pick it up. If we leave it here, another cow elephant will come for it.'

'But it's so small. Can't we take it back to the compound and look after it?'

'It will be all right,' said Akimbo's father. 'It's best not to interfere.'

They began to walk back to the truck. At a distance, the little elephant watched them go, withdrawing slightly as they moved. When the engine started, Akimbo saw it run back to the shelter of the trees.

'Goodbye,' Akimbo muttered under his

breath. 'Good luck.'

The truck turned away. Akimbo took one last glance back, and saw that the vultures, which had been circling high in the sky, had now dropped lower.

# Stolen ivory

Over the next few days, Akimbo found himself thinking more and more about the baby elephant. He wondered whether it had been picked up by another member of the herd, or whether it had been left to die. Had the poachers destroyed two elephants in their cruel and greedy hunt for ivory?

He knew that his father and the other game rangers were doing their best to stop the hunters, but they seemed unable to deal with them.

‘If I were in charge,’ he said to himself, ‘I’d catch them and teach them a lesson. If nobody else will, then I’m going to stop them.’

He thought about this. There was no reason why the poachers should get away with it. Perhaps there was something he could do, after all.

‘Where do the poachers come from?’ he asked his father one evening.

His father shrugged his shoulders. ‘From all over the place. But we know that there’s one gang in the village nearby. We can’t prove it, but we think they’re doing it.’

‘What do they do with the tusks?’ Akimbo asked.

His father sighed. ‘They hide them. Traders come up from the towns and buy them from them. Then they smuggle the tusks back to town and that's where they're carved. They make them into necklaces and ornaments.'

'But don't you ever catch any of them?'

'Sometimes. Then we hand them over to the police. But the poachers are cunning, and clever as well.'

Akimbo turned away. 'I'm clever too,' he muttered under his breath. 'And I'm sure I can be as cunning as they are.'

'What was that?' his father asked.

'Nothing,' Akimbo replied. But he had declared war on the poachers the moment he saw that baby elephant waiting in vain for its mother to get up.

Akimbo knew that it would be impossible for him to do anything about the poachers in the reserve itself. The poaching gangs travelled by night, and were armed. Then they struck quickly and as quietly as possible, before fading away into the bush again. Every so often, the rangers picked up their tracks and pursued them, but usually they were too late.

He thought of different plans, but none of them seemed likely to work. If there was no point in his waiting for the poachers, why not go to the village and find them? That was the way to get the proof he would need to stop them.

At the edge of the rangers' camp there was a storeroom. Akimbo had been inside only once or twice, as it was always kept locked, and his father rarely went there. In it were the things which the rangers confiscated from poachers when they managed to find them.

It was a grim collection. There were cruel barbed-wire traps, designed to tighten like a noose around an animal's leg when it stepped into the concealed circle of wire. There were rifles, spears and ammunition belts. But what was saddest of all were the parts of animals which had been caught by the poachers. As well as horns and skins, there were the most sought-after trophies of all, the tusks of elephants.

Many of these things were kept to show to visitors, so that they could see what the poachers did. Some were also kept in the hope they would be needed as evidence once the poachers were caught. But that seemed to happen so rarely that the tusks and the traps just gathered more and more dust.

That night, at a time when the rest of the camp was asleep, Akimbo slipped out of his room and made his way across the compound towards the storeroom. In the moonlight he could make out the shape of the storeroom against the night sky. He paused in the shadows for a few moments, to check that nobody was about, and then he

darted along the path to stand in front of the storeroom door.

His father's bunch of keys was heavy in his pocket. He had slipped it out of the pocket of his father's working tunic while his parents were busy in the kitchen. He had felt bad about that, but he told himself that he was not stealing anything for himself.

Now he tried each key in the storeroom lock. It was a slow business. In spite of the moonlight, there was still not enough light to see clearly, and it was difficult to keep those keys he had already used from being jumbled up with those which he had yet to try.

At one point he dropped the whole bunch, and it made a loud, jangly noise, but nobody woke up.

At last the lock moved, and with a final twist the bolt slid home. Akimbo pushed open the door and wrinkled his nose as he smelled the familiar, rotten odour of the uncured skins. But it was not skins he had come for. There, in a corner, was a small elephant tusk, which had been roughly sawn in two. Akimbo picked this up, checked that it was not too heavy to carry, and took it out of the storeroom. He took off its label. Then, locking the door again, he crept away, just like a poacher making off with his load of stolen ivory.

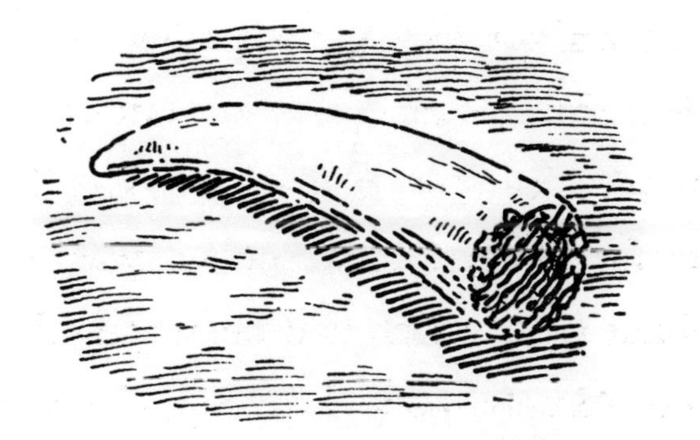

# The enemy

'I'd like to go to the village,' Akimbo told his parents the following morning.

Akimbo's father seemed surprised.

'Why? There's nothing for you to do there.'

'There's Mato. I haven't seen him for a long time. I'd like to see him. Last time I was there his aunt said that I could stay with them for a few days.'

His father shrugged his shoulders, looking at Akimbo's mother.

'If you want to go, I suppose you can,' she said. 'You'll have to walk there, though. It'll take three hours – maybe more. And don't be any trouble for Mato's aunt.'

Again Akimbo felt bad. He did not like to lie to his parents, but if he told them of his plan he was sure that they would prevent him from trying it out. And if that happened, then nobody would ever stop the poachers, and the hunting of the elephants would go on and on.

As his father had warned him, the walk was not easy. And, carrying a chunk of ivory in a sack over his shoulder, Akimbo found it even more difficult than he had imagined. Every few minutes he had to stop and rest, sliding the sack off his shoulder and waiting for his tired arm muscles to recover. Then he

would heave the sack up again and continue his walk, keeping away from the main path to avoid meeting anybody.

At last the village was in sight. Akimbo did not go straight in, but looked around in the bush for a hiding place. Eventually he found an old termite hole. He stuffed the sack in it and placed a few dead branches over the top. It was the perfect place.

Once in the village, he went straight to Mato's house. Mato lived with his aunt. She was a nurse and ran the small clinic at the edge of the village. Mato was surprised to see Akimbo, but pleased, and took him in for a cup of water in the kitchen.

'I need your help,' said Akimbo to his friend. 'I want to find somebody who will buy some ivory from me.'

Mato's eyes opened wide with surprise.

'But where did you get it?' he stuttered. 'Did you steal it?'

Akimbo shook his head. Then, swearing his friend to secrecy, he told him his plan. Mato thought for a while and then he gave him his opinion.

'It won't work,' he said flatly. 'You'll just

get into trouble. That's all that will happen.'

Akimbo shook his head.

'I'm ready to take that risk.'

So Mato, rather reluctantly, told Akimbo about a man in the village whom everyone thought was dishonest.

'If I had something stolen which I wanted to sell,' he said, 'I'd go to him. He's called Matimba, and I can show you where he lives. But I'm not going into his house. You'll have to go in on your own.'

Matimba was not there the first time that Akimbo went to the house. When he called an hour later, though, he was told to wait at the back door. After ten minutes or so the door opened and a stout man with a beard looked out.

'Yes,' he said, his voice curt and suspicious.

'I would like to speak to you,' Akimbo said politely.

'Then speak,' snapped Matimba.

Akimbo looked over his shoulder.

'I have something to sell. I thought you might like it.'

Matimba laughed. '*You* sell something to *me*?'

Akimbo ignored the laughter.

'Yes. Here it is.'

When he saw the ivory tusk sticking out of the top of Akimbo's sack, Matimba stopped laughing.

'Come inside. And bring that with you.'

Inside the house, Akimbo was told to sit on a chair while Matimba examined the tusk. He looked at it under the light, sniffed it, and rubbed at it with his forefinger. Then he laid it down on a table and stared at Akimbo.

'Where did you get this?' he asked.

'I found it,' said Akimbo. 'I found a whole lot of tusks. And some rhino horns.'

At the mention of rhino horns, Matimba narrowed his eyes. These horns were much in demand among smugglers, and could fetch very high prices on the coast. If this boy has really got some, Matimba thought, I could get them off him for next to nothing.

'Where did you find them?'

'In a hiding place near a river. I think they must have been hidden there by a poacher who got caught and couldn't come back for them.'

Matimba nodded. This sort of thing did happen, and now this innocent boy had stumbled across a fortune. He looked at the tusk again. He would give him some money on the spot and promise him more if he took him to the rest.

'You did well to come to me. I can buy these things from you.'

Akimbo drew in his breath. Now was the time for him to make his demand.

'You can have them. I don't want money for them.'

Matimba was astonished. He looked again at the boy and wondered whether there was something wrong with him.

'All I want is to become an elephant hunter. If you let me go off with some poachers – to learn how they do it – I'll show you where I have hidden the tusks and horns.'

Matimba was silent. He stared at Akimbo for some time, wondering whether to trust him. Then his greed got the better of his caution. He granted Akimbo's wish. After all, boys thought poaching was exciting. Well, let him learn.

'You may go with my men,' he said.

Akimbo felt a great surge of excitement. Matimba had said 'my men'. He had found the head of a gang of poachers. His plan had worked – so far. The next stage was the really dangerous part.

# The hunt

Matimba told Akimbo to come back the following night. He was to bring nothing with him and was to expect to be away for two or three days. The men would bring the food.

'I hope that you're strong enough,' he said dubiously. 'And I hope your parents won't come looking for you.'

Akimbo reassured him, but Matimba was no longer paying attention. He had picked up the tusk again, and was polishing at its surface with a cloth. Akimbo threw a last glance at it before he left the room. He hoped that the loss of the tusk would not be noticed too soon. He would have to own up to taking it, but he only wanted to when his plan had been carried out. If it failed, then he did not look forward to confessing that he had given the tusk to the head of a poaching gang.

Mato was still worried. As they lay side by side on their sleeping mats, Mato told Akimbo: 'You're crazy. Go straight home and tell your father what you've done.'

Akimbo told him about how they had found the baby elephant, waiting for its mother.

'We can't let all the elephants of Africa be destroyed. I must do something for them.'

Mato was silent at the end of Akimbo's

story.

'All right. I suppose I should say good luck.'

'Thank you,' said Akimbo. Then, feeling tired after the day's long walk, he drifted off to sleep, not hearing the sound of the village dogs barking, or the whine of the crickets outside. Mato stayed awake a little longer, worrying about his friend, but at last he, too, fell asleep.

The next day dragged past with a painful slowness. At last, as the sun began to sink

below the hills, Akimbo knew that it was time for him to go to Matimba's house. He was the only person there to begin with, but a little while later several men arrived. They looked suspiciously at Akimbo, and spoke in lowered voices to Matimba. After that, they appeared to accept Akimbo's presence.

There were five men in the group. The leader was a short man, who walked with a limp. He gave orders to the others, who obeyed him quickly and without question. When the time came to leave, he told

Akimbo to walk immediately behind him and not to speak once they set off.

'Keep quiet all the time. Do exactly as I tell you and you'll be all right. Understand?'

Akimbo nodded. The other men were ready now, and they slipped away from the village, following a path which led through the thick grass towards the hills in the distance. Over those hills lay the reserve, and deep in the reserve were the forests where the elephants lived. They were on their way.

They walked all night. Akimbo was used

to walking long distances, but the speed with which the men travelled wore him out. He had to keep up, even though his feet were sore and he longed to lie down in the grass and go to sleep.

By the time the sun rose, they had already crossed into the reserve. Now that it was light, they moved cautiously, keeping to a route which took them through heavy vegetation. Akimbo wondered how long they could keep walking all day as well as all night. When could they sleep?

Suddenly the leader gestured with his hand and the men stopped.

'We'll rest here,' he said quietly. 'Find places to sleep. We'll move again tonight.'

Akimbo dropped to the ground underneath the cover of a small thorn bush. The ground was hard but he was so tired that it was more welcome to him than the softest bed. He closed his eyes against the glare of the day and was asleep within seconds.

He felt the hand of one of the men on his shoulder.

'Time to go,' a voice whispered. 'We're leaving.'

Akimbo sat up. His body felt sore from sleeping on the ground, and his throat was parched. One of the men gave him a drink of water from a bottle he was carrying. Then he gave him a large piece of dried meat to eat as they walked. The meat was tough and difficult to chew, but Akimbo gnawed at it hungrily.

It was almost dark by the time they set off. They had to travel more slowly now, as the ground was rough and the grass was thick and high. Akimbo had no idea where they were, but he knew that they must be nearing the place where they might expect to find elephants, as he had seen the forests in the distance when they stopped that morning.

They disturbed several wild animals as they made their way. An antelope bounded off from a hollow immediately ahead of them, crashing through the undergrowth in panic. Another large animal was disturbed a little later, and they heard it charging away during the night. It could have been a rhinoceros, and this frightened Akimbo as he knew how dangerous rhinos could be.

They stopped to rest once or twice, and Akimbo found himself less exhausted than on the previous night. At last, towards dawn, they stopped altogether. They were now in heavily wooded land, and at any point they might see elephant. Akimbo assumed that now the hunt was on.

That morning, after resting for three or four hours, the group began to move slowly through the clumps of great trees which broke up the plain. One of the men was now acting as a tracker, and he had picked up the signs of elephant. From time to time he pointed at something on the ground and said something to the man with the limp, who nodded.

Suddenly the tracker stopped. The leader went up to him and crouched beside him. Akimbo and the other men crouched down too, waiting for a sign from the leader.

Akimbo saw the elephants at the edge of the trees. They were moving slowly, browsing among the branches of the trees with their trunks, pulling down clumps of foliage. His heart stopped for a moment. There was a male elephant among them who had a very large pair of tusks – great, white sweeps of ivory. Akimbo knew that the poachers would be bound to go for him.

Suddenly two of the elephants turned to face them. There was a ripple of activity amongst the others, as the two large bulls flapped out their ears and lifted their trunks in the direction of the crouching men. Akimbo realised that the animals had got their scent and were now alarmed. And if they were alarmed, then they might charge.

The leader gestured to one of the other men, who ran up to him with a rifle. The elephant must have seen the movement, as he suddenly moved forward several paces and let out a bellow. Behind him, the other elephants had moved for protection into the shadows of the trees.

Akimbo had never seen a charging elephant and he was not ready for the speed with which it moved. For a few moments he was frozen in terror, his eyes fixed on the great creature which was charging towards them. Then, quite suddenly, the elephant stopped. For a short while it stood still, its ears out, its body quivering, small eddies of dust about its

feet, and then, without warning, it turned aside and moved back towards the herd.

As this was happening, the leader was fumbling with the rifle. By the time he had it to his shoulder, the elephants had disappeared into the thickness of the forest. Akimbo felt all the fear drain out of his body. They were safe. And so were the elephants – at least, for the time being.

# Escape

The leader was clearly angry over what had happened. He called his men over to him and spoke sharply to them, pointing to where the herd had been to underline his words. They all knew that the elephants would move quickly, now that they had scented danger, and that it would be difficult to catch up with the herd.

For a few minutes the leader seemed uncertain what to do. Then he spoke. 'We'll follow them. I want to get those tusks.'

One of the men stepped forward.

'But they're going west. There are rangers that way. It would be too dangerous. They might . . .'

The leader interrupted him abruptly.

'I want those tusks. If you're frightened, you can go home now.'

The man looked down.

'I'm not frightened.'

Akimbo listened. The information that they were going to travel west excited him. In that direction lay the ranger camp, and home, and this would make it easier for him to carry out his plan.

With the tracker in the front, his eyes glued to the ground, the line of poachers snaked its way through the thick savannah. Tracking elephants was much easier than tracking other animals, as elephants destroy so much as they make their way, but even so it took all the tracker's skill.

By late afternoon there was still no sign of the elephants and Akimbo wondered what they would do when darkness fell. It would be impossible then to follow the herd any further – and dangerous, too, as they could suddenly find themselves in the middle of the herd in the darkness, and they would stand no chance then.

When the light became too bad to go on, the leader called his men to a halt. Everybody was tense, weary, and thirsty, and they were pleased to be able to rest.

'We will spend the night here. At first light we can go on.'

'But we're too close to the ranger camp,' one of the others said. 'It's only one or two hours that way.'

Akimbo watched where the man pointed. Then, without bothering to hear the leader's answer, he walked off and lay beneath a nearby bush, curling up as if to sleep. The other men all settled themselves too, concealing themselves beneath branches or bushes, and soon anybody walking past would not have realised that five men and a boy were sleeping there.

The boy was not asleep. Although his bones ached with tiredness, Akimbo fought back the waves of drowsiness, and he struggled to keep his mind on what he had to do. At last, when he was sure that all the others were fast asleep, he crept out from underneath his

sheltering place.

Nobody moved. Nor did anybody stir as he began to move off in the direction of the ranger camp, which one of the men had pointed out.

'I hope he was right,' he said to himself. 'If he's not . . .' But Akimbo did not allow himself to think about that. For the moment he knew exactly what he had to do, and he concentrated all his energy on doing it.

It was more frightening than Akimbo could ever have imagined. The moon was behind cloud, and there was very little light. All that he could make out around him were large black shapes – the shapes of trees, bushes, rocks. Akimbo tried to fix his mind on some

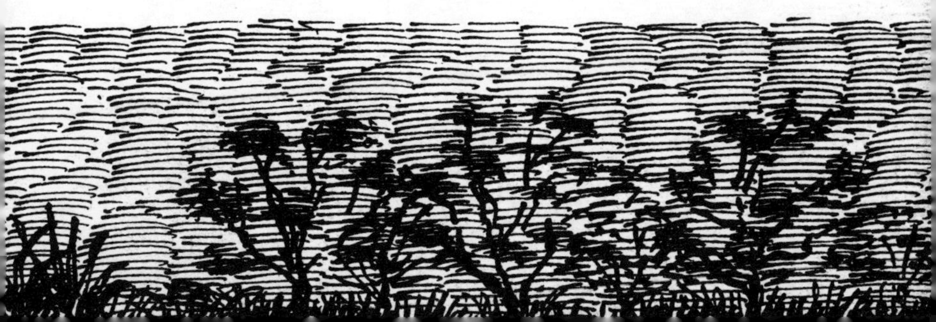

landmark in order to keep travelling in the right direction, but it was almost impossible to do this in the darkness. The shape which he aimed for would suddenly be lost, or would look different when he approached it, and there was no way of telling that he was not going round in one large circle.

'If I'm just going round and round I'll come back to where I started from and I'll walk right into the poachers.'

After about fifteen minutes the cloud cleared and there was a little more light from the sky. Akimbo could now identify an object to aim for in the distance. He could also move faster, as he did not have to worry so much about the ground suddenly giving way over a cliff.

He broke into a run. It was painful to his tired legs, but he managed to push himself to do it. He scratched himself, of course, on thorn bushes and protruding twigs, but he did not mind that. All he wanted now was to reach the ranger camp and safety.

Suddenly Akimbo stopped. His heart was

pounding within him, his skin prickling with fear. Had his ears deceived him, or was it ... Yes. There it was again. It was a roar. Still quite distant, but unmistakeably the roar of a lion.

Akimbo looked about him in panic. All he saw were the same dark shapes and shadows of the African night. Lions could be anywhere. They could be watching him at this moment. They could be crouched, ready to pounce.

He shook his head. He would not give up now. He would not look for the nearest tree and try to climb to safety. He had to get home.

# Rhino charge

Moving as quietly as he could, Akimbo made his way through the thick scrub bush. It was difficult to travel quietly, though, unless he also went slowly. And if he went slowly, then that would make him more likely to be attacked.

He stopped for a moment and listened. The African night is never quiet. There was the sound of insects, a shrill screeching noise that never stopped. It was everywhere – behind him, around him, above him, and it was difficult to make out any other sound. Yet there it was. There was a sound which was different.

Akimbo took a deep breath. For a few seconds he felt like shouting out, in the hope that somebody might hear him. But he knew that there was nobody about and shouting could make his situation even worse. He turned round. Did the sound come from behind?

There was silence. Akimbo took another step, and then stopped again. He was sure that he had heard something.

'I'm being stalked. That means it's a lion, or maybe a leopard.'

The thought of the fierce animal behind him made his skin chill. He looked about for a tree, and saw one a few yards away in the darkness. 'I can climb that. It's not high, but

at least
it'll give me
some protection.'

Slowly he moved over to the tree and reached up for the first, lower branches. His arms were weak with fear, but he still felt strong enough to pull himself up off the ground. Then, just as he began to raise himself, he heard a crashing sound behind him. The fear made him let go, and he dropped down in a heap, the wind knocked out of him.

The crashing noise grew louder as the animal charged through undergrowth. Akimbo tried to struggle to his feet, but his limbs would not respond. He was paralysed with fright.

The rhino moved with extraordinary speed. When Akimbo first saw it, it was a dark blur, heading straight towards him, and then in no more than a few seconds, it had shot past, thundering off beyond the tree.

Akimbo stayed quite immobile. As the rhino moved off, the crashing sound grew fainter, and, after a while, there was quiet again. Akimbo picked himself up and found, to his surprise, that he was quite unhurt. The rhino must have missed him by inches.

He started to walk again, dazed, overwhelmed by the closeness of his escape. He realised that he must have been following the rhino for a while and that they had both been equally surprised to find one another. When the rhino had eventually seen him, it had charged, but it had really only meant to get away.

Akimbo now felt all his fear leave him. He had survived a trip with poachers; he had survived a charging rhino. He felt strong now, and he knew that he could make it home.

Akimbo was to remember little of the few hours that followed. He walked quickly, and tried to keep going in a straight line. He whistled for a while, and he remembered bruising himself against a rock which was hidden in the grass. And then at last there was the supreme moment when he saw the lights away to his left, almost obscured by trees and not in the direction in which he would have expected them to be. Yet there was only one thing they could be – the lights of the ranger camp.

* * *

His parents were already asleep by the time he reached home. His father woke up at the sound of the door being opened and got out of bed to see his son stagger in from the night.

'Akimbo! What are you doing here?'

Akimbo took some time to catch his breath again. Then, when he could speak, he blurted out his message.

'There's a gang of poachers. They're in the reserve. They're after elephants.'

'How on earth do you know?'

Akimbo told him everything. As he spoke, he watched his father's eyes bulge with surprise.

'But what on earth made you do it?' his father asked, half in anger, half in astonishment.

Akimbo did not give him an answer.

'Look, Father, just believe me. They're there. I know where they are. I can take you there.'

Akimbo's father looked doubtful. Then he appeared to make up his mind. He told Akimbo to stay where he was while he went off to summon the head ranger. It was up to him to decide what should be done next.

The head ranger listened gravely to Akimbo's story. When it came to the description of how he had taken the ivory from the storeroom, he frowned and looked angry.

'You shouldn't have done that. You know that was stealing.'

'But I only wanted to help. I couldn't let the poachers get away with it.'

'That's not your job,' interrupted the head ranger. 'It's not up to you to stop them.'

Akimbo was silent. It was so unfair that the poachers could get away with their greed and cruelty and nobody could stop them. Then, when somebody did try, all he got himself into was trouble.

Akimbo looked at his father, silently appealing for help.

'He has more to say,' said his father quietly. 'I think you should hear him out.'

The head ranger nodded, still frowning, but when Akimbo told him of his meeting with Matimba he smiled and nodded, pleased at getting the first piece of firm evidence against a man whom he had long suspected.

At the end of Akimbo's tale, the head ranger rose to his feet and rubbed his hands together.

Akimbo waited anxiously.

'Thank you. Well done!'

And with those few words, Akimbo knew that everything would be all right. Or rather, it would be all right if they caught the poachers. If they didn't, then he was sure the blame would land fairly and squarely on himself.

The head ranger now gave orders for all the rangers to be woken. They had to be ready to leave the camp within an hour. They would travel on foot, he said, as the last thing he wanted was for the poachers to be given any warning of their presence.

'Can you manage to walk?' he asked Akimbo casually. 'You must be a bit tired.'

Akimbo swallowed. He doubted whether his legs could carry him any further, and the sight of his sleeping mat on the floor of their house had been almost too tempting. But he had started this, and he would have to finish it, even if he dropped in his shoes at the end of it all.

'I'm fine,' he replied cheerfully. 'I can do it.'

Ten rangers set off. They were all armed and equipped with everything they needed for a long hike. Akimbo walked beside the head ranger. Immediately behind him was

his father, who encouraged him quietly whenever he seemed to be flagging.

He had a good idea of the direction from

which he had come. He thought he recognised certain features – the tip of a hill, silhouetted black against the night sky, or a stretch of forest. But it all seemed so similar in the darkness and he knew that he could be quite wrong.

Just before dawn they stopped. As the light came up over the horizon and the sun painted the hills with red fire, Akimbo gazed around really puzzled.

'Do you recognise anything?' whispered the head ranger. 'Those trees over there? That hill?'

Akimbo shook his head.

'It seems so different. Everything seemed larger at night.'

The head ranger nodded.

'Don't worry. We'll just go forward very slowly. If you see something familiar, tap me on the arm – don't speak.'

Slowly they made their way through the undergrowth. They were as quiet as they could be but there were twigs underfoot, which cracked as they trod on them. There were branches which swung back with a swishing sound when they bent them. One of the men coughed once or twice in spite of his efforts to suppress it.

Akimbo was sure they were lost. Should he tell the head ranger now that he had no idea where they were, rather than let them waste more time? But just as he was about to attract the head ranger's attention, he saw it.

There had been a cactus very close to where he had lain down and pretended to sleep. And now, he saw it again. It was definitely the same one. There was that missing branch and the piece that bent down instead of up.

He reached out to attract the head ranger's attention.

'That's it,' he whispered. 'That's where I was.' At a signal from the head ranger, all the rangers dropped to the ground. Then, half crawling and half running, they moved swiftly towards the cactus.

There was nothing – no sign of the poachers at all. The rangers poked around under the bushes. One came across an empty water bottle and held it up for the others to see. Another found a couple of burned-out matches and showed them to the head ranger.

It was now the turn of the ranger who was most skilled at tracking. He walked about the site where the men had camped that night until he was satisfied that he could work out which direction they had followed. Then, just as the poachers' own tracker had

done, he set off, following the signs on the ground, stopping from time to time to peer closely at a footprint or a tuft of grass that had been flattened by somebody's boot.

'They're not far away,' he said to the head ranger. 'Nor are the elephants.'

# Elephants in danger

As they set off along the tracks of the poachers, Akimbo wondered whether they would be in time. Sooner or later the poachers would catch up with the herd of elephants, and once they did that the fate of the elephants with the handsome tusks would be decided. Akimbo did not care so much if the poachers got away – although he wanted them to be caught – what really mattered to him was stopping them from killing that elephant.

And it seemed such a painfully slow chase!

'Can't we go faster?' Akimbo asked his father. 'If we don't hurry, they'll have got the tusks by the time we get anywhere near them.'

Akimbo's father patted his son on the shoulder.

'If we go too fast, we'll lose their trail. A tracker needs time.'

And so they inched their way onwards until the tracker suddenly held his hand up and everybody stood stock-still.

The head ranger moved quietly to the tracker's side.

'What is it?' he whispered.

The tracker pointed down to the ground.

'They're ten minutes ahead of us,' the tracker said. 'Look.'

He pointed down to the print of a man's boot in the soft sand. It was fresh and clear, and the tracker knew that it had been made only minutes before.

The head ranger signalled to his men to advance more carefully. Now they moved even more slowly, watching each footfall, avoiding stones and twigs and anything else that could give their presence away.

They had reached a place where the ground sloped sharply upwards. Ahead of them was the brow of a hill, and on the other side of that the ground sloped gently away to a plain.

The elephants were standing at the edge of a large clump of trees. They were foraging, reaching up with curling trunks to the high branches of trees, their ears fanning slowly to keep the flies away. There were several mother elephants with their young, and there, at the edge of the herd, was the magnificent male with his heavy tusks.

The sight of the elephants distracted the rangers. They had not expected to come across them so quickly, and at such close quarters. Nor had they expected to see the poachers so close to them, crouching only forty or fifty yards away.

Akimbo took in the scene in an instant. He saw the leader of the group of poachers half rise to his feet and bring the rifle to his shoulder, waiting for his opportunity to fire the shot that would bring his quarry crashing to the ground.

The seconds ticked past. Akimbo

looked about him. Nobody seemed to be doing anything, and he wondered whether the others had seen the leader. If they had not, then there was only one thing for him to do.

From his crouching position, Akimbo shot to his feet and launched himself forward with a yell. He was aware of his father's cry of horror, but he lurched on, waving his arms, heading straight towards the herd of elephants.

There was a sudden rumpus of movement amongst the elephants. The smaller ones were quickly fussed away by their mothers while the great elephant with the tusks spun round to face the source of the disturbance. When the large elephant saw Akimbo, his ears flapped out and his trunk went up.

‘No!’ shouted Akimbo’s father. ‘Akimbo! Stop!’

The poachers burst out of their hiding places and stared at the boy. Their leader rose up and lowered his gun, looking around him in astonishment, uncertain what to do. Then he saw the rangers behind Akimbo and let out a cry of alarm.

The elephant was scenting the air. Akimbo had now dropped to the ground and was sheltering behind a small bush. The large elephant had lost sight of him now, and was peering in the direction from which he had been coming. He began to advance, trumpeting a warning as he did so.

Akimbo looked out from behind his hiding place. He could see the bulk of the elephant coming towards him but he was not sure if it could see him. He knew that he was in great danger, but for some reason he felt quite calm. His father's words came back to him. 'The best thing to do is to stay quite still.'

And he was right. The elephant took a few more steps forward and then, no longer aware of the presence of the threat, he moved back to the herd and began to lead them off into the trees. As he did so, Akimbo stood up to get a better view of them. The elephant with the large tusks was encouraging the herd to move faster, pushing against one or two of the reluctant ones, urging the others on with swinging movements of his trunk.

Akimbo caught his breath. There were several baby elephants in the herd, and one of them he was sure he had seen before. Yes! There was no doubt about it. It was a baby elephant with a tear in its right ear. So it had been found by the herd, and it was being looked after.

With the elephants dispersed, the rangers turned their attention to the poachers. The leader realised the gang were outnumbered and surrendered himself almost immediately. He was followed by all of his men. They glowered in anger at Akimbo. But Akimbo did not mind. The poachers could do him no harm now.

* * *

Akimbo's father seemed too shocked by what had happened to say much to his son on the way back to the camp. After a while, he managed to speak, still trembling.

'You were very, very lucky there. I thought the elephant would get you before we had time to do anything.'

'It almost did. But it was the only way I could warn it.'

'It was still no reason to take that risk. If you hadn't found that bush to drop behind, I don't know . . .'

'But I *did* find it.'

The head ranger, who had been listening to them, now joined in.

'You were very brave. If it hadn't been for you, that elephant would have lost its life.'

Back at the camp the rangers arranged for the police to come out to collect the poachers and the head ranger had to pass on the information he had received about Matimba. He enjoyed doing this, as it would give him great pleasure to see Matimba arrested and his cruel trade in stolen ivory brought to an end.

But there was only one thing that Akimbo wanted to do. He lay down on his sleeping mat, feeling all the aching tiredness flow out of his weary limbs. Within seconds he was asleep.

He slept for almost twenty hours and at some point in that long sleep he dreamed. He dreamed of the elephants. He dreamed that he was out on the savannah, watching the elephant with the great tusks walk slowly through the waving, golden grass. And as it walked past, it turned and looked at him. This time it did not prepare to charge, but

lifted its trunk, as if to salute Akimbo, its friend. And Akimbo raised his hand to it too, and then watched it walk slowly away.